TESTS D'ÉVALUATION

CIVILISATION PROGRESSIVE DU FRANÇAIS

Niveau débutant

Catherine **C**arlo
Mariella **C**ausa

CLE
INTERNATIONAL
www.cle-inter.com

AVANT-PROPOS

• Ce volume de *Tests d'évaluation* s'adresse à des adultes et adolescents de niveau DÉBUTANT. Il fait suite à la *Civilisation progressive du français*, niveau débutant, dont il constitue un utile complément.

• Chaque page de ce volume correspond, en général, à une page de leçon de la *Civilisation progressive du français*, les chapitres et les thèmes se succédant dans le même ordre. Afin de faciliter le repérage, la référence à l'ouvrage de base est indiquée en haut de chaque page de tests.

• Une page de tests comprend de trois à cinq exercices. Ces activités sont diversifiées : *choisissez la bonne réponse, exercices à trous, éliminez l'intrus, cochez, vrai ou faux, mots croisés,* etc. Elles diffèrent de celles déjà présentées dans la *Civilisation progressive du français*. Chaque page est notée sur 20.

• Ce volume peut s'utiliser de différentes manières :
– soit, avant l'apprentissage, pour évaluer les connaissances culturelles initiales de l'apprenant, et l'orienter vers l'ouvrage de civilisation qui lui correspond,
– soit, après une phase d'apprentissage, pour évaluer l'appropriation des notions de base,
– soit, en cours d'apprentissage, à titre d'exercices complémentaires, afin de consolider les notions abordées dans la *Civilisation progressive du français*.

• Les **corrigés**, présentés en fin de volume, permettent d'utiliser cet ouvrage en situation de classe aussi bien qu'en auto-apprentissage.

Édition : Brigitte Faucard
Illustrations : Eugène Collilieux
Mise en page : CGI

CLE International/SEJER, 2004
ISBN : 978-2-09-033755-6

SOMMAIRE

■ **Test 1** Répondez.

/4 **Pourquoi appelle-t-on la France _l'Hexagone_ ?**

_____

_____

■ **Test 2** Soulignez la bonne réponse.

/4 **La superficie de la France est de :**

1. 50 600 km².

2. 751 000 km².

3. 551 600 km².

■ **Test 3** Choisissez les bonnes réponses.

/5 **Parmi les pays suivants, cochez ceux qui ont une frontière commune avec la France.**

1. Belgique ❑

2. Pays-Bas ❑

3. Allemagne ❑

4. Suisse ❑

5. Italie ❑

6. Espagne ❑

7. Portugal ❑

8. Maroc ❑

■ **Test 4** Citez trois mers qui bordent la France.

/3 **1.** _____

2. _____

3. _____

■ **Test 5** Complétez avec « océan », « Manche », « Méditerranée », « maritimes ».

/4 Les côtés _____ de la France donnent sur la _____ au nord, sur

l'_____ Atlantique à l'ouest et la mer _____ au sud.

Total:

/20

■ **Test 1**   La France a un climat tempéré qui varie selon les régions. Cochez la région qui
correspond au climat.

/6

Climat	Ouest	Sud	Est
1. Climat continental avec des hivers froids et des étés chauds.			
2. Climat méditerranéen avec des hivers doux et des étés chauds.			
3. Climat océanique avec des pluies abondantes.			

■ **Test 2**   Associez les montagnes à leur situation géographique.

/5

1. Alpes   a. nord-est

2. Jura   b. sud-est

3. Vosges   c. sud-ouest

4. Massif central   d. est

5. Pyrénées   e. centre

■ **Test 3**   Les grandes villes sont généralement situées au bord des fleuves. Citez une ville située
au bord :

/5

1. de la Seine _____

2. de la Loire _____

3. du Rhône _____

4. de la Garonne _____

5. du Rhin _____

■ **Test 4**   Complétez avec « vignes », « forêts », « cultures maraîchères », « plaines », « lacs »,
« olivier ».

/4

1. Dans les montagnes françaises on trouve beaucoup de _____ et de _____.

2. Il y a des grandes _____ comme le Bassin parisien et le Bassin aquitain.

3. Les _____ les plus appréciées sont dans la vallée du Rhône et dans le Bordelais.

4. Dans le Sud, on trouve de l'_____ et des _____.

Total:

/20

■ Test 1 Soulignez la bonne réponse. Où se trouvent la Picardie et le Nord-Pas-de-Calais ?

/3

1. Au nord-ouest.

2. Au nord.

3. À côté de la Bourgogne.

4. À côté de la Bretagne.

■ Test 2 Vrai ou faux ?

/5

	Vrai	Faux
1. Lille est la capitale de la Picardie.	❑	❑
2. La Picardie est une région industrielle.	❑	❑
3. La cathédrale d'Amiens est le plus vaste édifice gothique de France.	❑	❑
4 Amiens est la capitale du Nord-Pas-de-Calais.	❑	❑
5. Le Nord-Pas-de-Calais est le carrefour de l'Europe.	❑	❑

■ Test 3 Associez ce personnage à une ville.

/2

JULES VERNE

a. Amiens

b. Lille

c. Brest

■ Test 4 Soulignez la bonne réponse.

/4

En 2003, le TGV s'arrête à :

1. Amiens.

2. Lille.

3. Brest.

4. Reims.

5. Dijon.

■ Test 5 Répondez.

/6

Pourquoi la région Nord-Pas-de-Calais connaît-elle un nouvel essor économique ?

_____

_____

Total:

/20

■ **Test 1**   À propos de la région Champagne-Ardenne, citez :

/4

1. une ville _____

2. un site touristique _____

3. une spécialité gastronomique _____

4. une activité économique _____

■ **Test 2**   Complétez avec « culturelle », « Metz », « concordat », « Strasbourg », « enseignement ».

/5

L'Alsace et la Lorraine sont deux régions frontalières avec une forte identité _____.
Entre 1871 et 1945, elles ont appartenu tantôt à la France tantôt à l'Allemagne. Ce sont
les deux seules régions de France où s'applique encore le _____, c'est-à-dire
qu'un _____ religieux est donné à l'école publique. La capitale régionale
de l'Alsace est _____, siège du Conseil de l'Europe et du Parlement européen.
La capitale de la Lorraine est _____.

■ **Test 3**   Cochez les mots qui peuvent être associés à la région Champagne-Ardenne.

/4

1. vignobles ❑   **5.** caves ❑

2. cultures maraîchères ❑   **6.** vin ❑

3. champagne ❑   **7.** huile ❑

4. olivier ❑

■ **Test 4**   Cochez les bonnes réponses.

/2

La Lorraine est :

1. une région agricole. ❑   **3.** une région touristique. ❑

2. une région industrielle. ❑   **4.** une région maritime. ❑

■ **Test 5**   Répondez.

/5

En Alsace, les marchés de Noël sont célèbres. De quoi s'agit-il ?

_____

_____

_____

Total:

/20

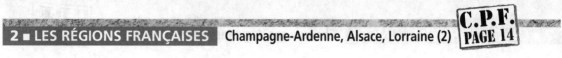

■ **Test 1**

/4

Soulignez la bonne réponse.

Au Moyen Âge, quelle était la ville célèbre pour ses foires commerciales ?

1. Reims.

2. Troyes.

3. Châlon-sur-Champagne.

■ **Test 2**

/4

Soulignez la bonne réponse.

Jean de La Fontaine est connu pour :

1. ses discours politiques.

2. ses fables.

3. ses romans.

4. ses pièces de théâtre.

■ **Test 3**

/6

Parmi les poètes du xxᵉ siècle cités ci-dessous, deux sont nés dans ces régions. Lesquels ? Cochez la bonne réponse.

1. Paul Verlaine ❏

2. Stéphane Mallarmé ❏

3. Jacques Prévert ❏

4. Arthur Rimbaud ❏

5. Guillaume Apollinaire ❏

■ **Test 4**

/4

Complétez avec « Marseille », « symboliste », « Charleville-Mézières », « séparation », « connus », « ivre », « aventureuse », « jeune ».

Arthur Rimbaud est un poète _____ né à _____ en 1854 et

mort à _____ en 1891 après une vie _____ . Il commence à écrire très

_____ pendant les années de lycée ; l'un de ses poèmes les plus _____

est le *Bateau* _____ . Il rencontre Paul Verlaine en 1871 avec qui il vit et voyage.

Après leur _____ , Rimbaud quitte la France et part pour l'Afrique.

■ **Test 5**

/2

Soulignez la bonne réponse.

La cathédrale de Reims est une cathédrale :

1. romane.

2. gothique.

3. contemporaine.

Total:

/20

▪ **Test 1** **Complétez la phrase.**

/3   La Bourgogne et la Franche-Comté, deux régions voisines, sont situées _____

de la France.

▪ **Test 2** **Soulignez la bonne réponse.**

/3   **Vous avez sans doute entendu parler de la Bourgogne. À quoi associez-vous cette région ?**

1. Au vin.   **3.** À la pêche.

2. Au cinéma.   **4.** À l'industrie automobile.

▪ **Test 3** **Vrai ou faux ?**   Vrai   Faux

/5   **1.** Les vins de Bourgogne sont réputés.   ❑   ❑

2. Les vins de Bourgogne sont des Bordeaux.   ❑   ❑

3. Le vignoble de Bourgogne se trouve en Côte-d'Or.   ❑   ❑

4. En Bourgogne, on mange très bien.   ❑   ❑

5. Cette région est connue seulement pour le vin blanc.   ❑   ❑

▪ **Test 4** **Cochez les bonnes réponses.**

/6   **On va en Franche-Comté pour :**

1. visiter la citadelle de Vauban à Besançon.   ❑

2. les vignobles.   ❑

3. visiter la maison où Auguste et Louis Lumière sont nés.   ❑

4. goûter du camembert.   ❑

5. goûter un fromage nommé comté.   ❑

▪ **Test 5** **Soulignez la bonne réponse.**

/3   **La citadelle de Besançon a été construite au XVIIᵉ siècle par Vauban sous le règne de :**

1. Napoléon.

2. Louis XIV.

3. Charles-Quint.

4. Louis XVIII.

Total:

/20

■ **Test 1** **Cochez les bonnes réponses.**

/3

Victor Hugo était :

1. un homme politique. ❑

2. un écrivain. ❑

3. un chanteur d'opéra. ❑

4. un dessinateur. ❑

5. un homme d'église. ❑

■ **Test 2** **Associez Victor Hugo à ses œuvres.**

/6

a. Les Misérables

b. Germinal

VICTOR HUGO **c.** Quatre-vingt-treize

d. Notre-Dame de Paris

e. Eugénie Grandet

■ **Test 3** **Vrai ou faux ?** Vrai Faux

/6

1. Louis Pasteur est l'inventeur du métro. ❑ ❑

2. Louis Pasteur est l'inventeur de la microbiologie. ❑ ❑

3. Louis Pasteur est l'inventeur du Code civil. ❑ ❑

4. Louis Pasteur est un chimiste et biologiste belge. ❑ ❑

5. Louis Pasteur est un chimiste et biologiste suisse. ❑ ❑

6. Louis Pasteur est un chimiste et biologiste français. ❑ ❑

■ **Test 4** **Soulignez la bonne réponse.**

/3

Les frères Lumière ont inventé :

1. l'alphabet Morse. 3. la lampe halogène.

2. le cinéma. 4. le téléphone.

■ **Test 5** **Répondez.**

/2

À quelle œuvre est associé le nom de Gustave Eiffel ?

_____

Total:

/20

■ **Test 1**

/4

Soulignez la bonne réponse.

Les habitants de la Normandie s'appellent :

1. les Normandiens.

2. les Normandiaux.

3. les Normands.

4. les Normandais.

5. les Normandiants.

■ **Test 2**

/4

Complétez la grille en donnant les réponses et vous trouverez le nom de la capitale régionale de la Haute-Normandie : _____ .

1. La Normandie en a 500 kilomètres.

2. Au sommet du Mont-Saint-Michel.

3. Le nom du fromage normand le plus connu.

4. Le nom du peintre qui a habité Giverny.

■ **Test 3**

/6

Parmi les éléments cités ci-dessous, cochez ceux qui évoquent la Normandie.

1. Le Mont-Saint-Michel. ❑

2. Le Futuroscope. ❑

3. Le tombeau de Napoléon. ❑

4. Saint-Malo. ❑

5. Le débarquement des alliés sur les plages en 1944. ❑

6. Les bords de la Marne. ❑

7. La cathédrale de Rouen. ❑

■ **Test 4**

/6

Vrai ou faux ?

	Vrai	Faux
1. Au Mont-Saint-Michel ont lieu les plus grandes marées d'Europe occidentale.	❑	❑
2. La cathédrale de Rouen a été entièrement détruite pendant la Deuxième Guerre mondiale.	❑	❑
3. La Normandie est la région la plus pluvieuse de France.	❑	❑
4. Le camembert est un fromage de la région.	❑	❑

Total:

/20

C.P.F. PAGE 18

■ **Test 1** Vrai ou faux ?

Vrai Faux

Gustave Flaubert, né en Normandie, est :

/4

1. un écrivain du XIXᵉ siècle. ❏ ❏
2. un écrivain du XXᵉ siècle. ❏ ❏
3. un marin, corsaire du roi Louis XV. ❏ ❏
4. un paysan, inventeur du camembert. ❏ ❏

■ **Test 2** Soulignez la bonne réponse.

/4

Claude Monet a souvent peint :

1. la cathédrale de Rouen.
2. la cathédrale de Reims.
3. les vieilles rues de Vannes.
4. la rentrée de la pêche à Honfleur.

■ **Test 3** Soulignez la bonne réponse.

/4

Claude Monet est un peintre :

1. cubiste. 3. abstrait.
2. impressionniste. 4. orientaliste.

■ **Test 4** Complétez avec « Deauville », « Étretat », « ports », « débarquement ».

/4

Rouen et Le Havre sont deux _____ industriels. La Normandie est aussi un lieu de vacances réputé avec _____ qui attire les touristes et les cinéphiles mais aussi avec _____, célèbre pour ses falaises. C'est aussi une région marquée par l'histoire de la Deuxième Guerre mondiale.

C'est sur ses plages qu'a eu lieu le _____.

■ **Test 5** Répondez.

/4

Où vont les touristes pour voir :

1. les grandes marées ? _____
2. une des plus belles cathédrales gothiques ? _____
3. un petit port de pêche ? _____

Total:

/20

4. l'ostréiculture ? _____

■ Test 1 Soulignez la bonne réponse.

/3

En France, la Bretagne est la région :

1. la plus à l'est.

2. la plus au nord.

3. la plus à l'ouest.

4. la plus au sud.

■ Test 2 Cochez les bonnes réponses.

/4

Selon vous, la Bretagne est :

1. une région agricole. ❏

2. une région de pêche. ❏

3. une région industrielle. ❏

4. une région touristique. ❏

5. une région culturelle. ❏

■ Test 3 Vrai ou faux ?   Vrai   Faux

/3

Rennes est située au bord de la mer.   ❏   ❏

■ Test 4 Complétez avec « Bretons », « crêpes », « îles », « services », « celte », « marins ».

/6

1. Les habitants de la Bretagne s'appellent les _____ .

2. Tous les ans, à Lorient, est organisé un festival de musique _____ .

3. La Bretagne comprend une vingtaine d' _____ .

4. Les _____ sont l'une des spécialités qastronomiques de la Bretagne.

5. Grâce au développement des communications, la Bretagne est aussi une région de____

_____ .

6. Traditionnellement, la Bretagne est un pays de _____ .

■ Test 5 Avec les éléments dont vous disposez, imaginez une suite à cette chanson.

/4

« À Saint-Malo, beau port de mer,_____

_____

Total:

/20

_____ . »

▪ **Test 1** Cochez les bonnes réponses.

/4 Le Centre et les Pays de la Loire sont des régions frontalières de :

1. la Picardie. ❑   **3.** l'Île-de-France. ❑

2. la Bretagne. ❑   **4.** la Normandie. ❑

▪ **Test 2** Attribuez les capitales régionales à leur région.

/4 **1.** Orléans_____

2. Nantes_____

▪ **Test 3** Cochez les bonnes réponses.

/3 À votre avis, quels sont les points communs à ces deux régions ?

1. Elles sont traversées par la Loire. ❑

2. Ce sont deux régions maritimes. ❑

3. On y trouve les châteaux de la Renaissance. ❑

4. Leur climat est doux. ❑

▪ **Test 4** Choisissez, parmi les menus suivants, celui qui vous propose des spécialités traditionnelles de ces deux régions.

/4

1
• Coquilles Saint-Jacques
• Plateau de fruits
  de mer
• Camembert et salade
• Calvados

2
• Salade au comté
• Bœuf bourguignon
• Fromage blanc
  au coulis de cassis

3
• Quiche lorraine
• Choucroute
• Tarte aux mirabelles

4
• Salade de chèvre chaud
• Soufflé d'escargots
  du chef
• Tarte Tatin

Menu_____

▪ **Test 5** Vrai ou faux ?   Vrai Faux

/5 **On vient dans ces régions pour :**

1. visiter la cathédrale de Chartres. ❑ ❑

2. se balader dans les forêts. ❑ ❑

3. visiter la cathédrale de Rouen. ❑ ❑

4. visiter les châteaux royaux. ❑ ❑

Total: **5.** goûter des plats à base de moutarde. ❑ ❑
/20

■ **Test 1** Soulignez la bonne réponse.

/3 **François Rabelais est connu pour :**

1. *Gargantua et Pantagruel.*

2. *Les Pensées.*

3. *Le Roman de la Rose.*

4. *Candide.*

■ **Test 2** Associez le nom de Léonard de Vinci à un roi français.

/3

a. François 1er

LÉONARD DE VINCI **b.** Henri IV

c. Louis XIII

■ **Test 3** Éliminez l'intrus.

/4 **1.** Chambord / Léonard de Vinci / Louis XIV / François 1er

2. Chenonceaux / Blois / Cher / Amboise

3. Loire / Cher / Seine / Loiret

4. Orléans / Tours / Bordeaux / Angers

■ **Test 4** **Complétez avec « avocat », « Grandet », « Goriot », « Paris », « Tours », « droit », « succès ».**

/7 Balzac naît à _____ dans une famille de la petite bourgeoisie. Il vient à

_____ pour poursuivre ses études en _____ ; c'est dans cette ville qu'il

commence à écrire et il abandonne ainsi sa carrière d'_____. Le _____

arrive avec le roman *Eugénie* _____ (1833) et surtout avec *Le Père*

_____ (1835).

■ **Test 5** Soulignez la bonne réponse.

/3 **Aristide Bruant était :**

1. un sculpteur.

2. un chanteur.

3. un peintre.

Total: **4.** un scientifique.

/20

■ **Test 1** Soulignez la bonne réponse.

/2

La région Île-de-France est située autour de :

1. Lyon.　　　　　　　　　　3. Paris.

2. Tours.　　　　　　　　　　4. La Martinique.

■ **Test 2** Soulignez la bonne réponse.

/2

La région Île-de-France compte environ :

1. 11 millions d'habitants.

2. 24 millions d'habitants.

3. 2,8 millions d'habitants.

■ **Test 3** Quels départements sont situés en Île-de-France ? Cochez les bonnes réponses.

/7

1. Le Val-de-Marne.　　　　❏　　　6. Le Val-d'Oise.　　　　❏

2. Les Hauts-de-Seine.　　　❏　　　7. L'Essonne.　　　　　❏

3. L'Ille-et-Vilaine.　　　　❏　　　8. Les Côtes-d'Armor.　❏

4. La Seine-Saint-Denis.　　❏　　　9. La Seine-et-Marne.　❏

5. La Val de Loire.　　　　　❏　　　10. Les Yvelines.　　　　❏

■ **Test 4** Répondez.

/3

Pouvez-vous citer quelques villes historiques situées en Île-de-France ?

_____

_____

■ **Test 5** Associez un lieu à sa caractéristique. Parfois plusieurs solutions.

/6

1. Saint-Denis　　　　　　　a. parc de loisirs

2. Le Parc Astérix　　　　　b. château

3. Disneyland　　　　　　　c. stade

4. Sceaux　　　　　　　　　d. bois

5. Versailles　　　　　　　　e. parc

6. Vincennes

Total:

/20

■ **Test 1** Soulignez la bonne définition.

/3

Les Français adorent les sigles. Le RER, c'est :

1. le Réseau d'autoroutes Et de Routes de la région parisienne.

2. le Réseau Express Régional (l'ensemble des trains de banlieue).

3. le Réseau d'État pour l'aéroport de Roissy (les transports publics qui desservent l'aéroport).

■ **Test 2** Soulignez la bonne réponse.

/4

Le TGV (Train à Grande Vitesse) qui relie L'Île-de-France à l'ensemble de la France et aux grandes villes d'Europe date de :

1. 1945.

2. 1981.

3. 1990.

4. 2001.

■ **Test 3** **Complétez avec « économie », « première », « décentralisation », « pouvoirs »,**

/8

« régions », « villes », « formation », « intellectuelle ».

Malgré la _____, l'Île-de-France a la _____ place parmi les 22 _____

de France, en ce qui concerne l'_____ . C'est aussi la région qui concentre le plus

de _____ politiques. Les _____ des autres régions se sont développées

dans le domaine de la vie _____, l'offre culturelle et la _____, mais

l'Île-de-France reste encore la région qui offre le plus de possibilités.

■ **Test 4** **Vrai ou faux ?**

	Vrai	Faux
1. L'Île-de-France est la première région touristique du monde avec environ 21 millions de visiteurs par an.	❑	❑
2. L'Île-de-France est la deuxième région touristique de France après la Côte d'Azur.	❑	❑
3. L'Île-de-France est la deuxième région touristique d'Europe après la région de Venise.	❑	❑
4. L'Île-de-France, à cause de la pauvreté de ses banlieues, n'est pas une région touristique.	❑	❑
5. L'Île-de-France attire des touristes étrangers mais aussi beaucoup de touristes français.	❑	❑

/5

Total:

/20

▪ **Test 1** Associez une fonction de la capitale et un bâtiment parisien.

/6

1. Capitale politique et administrative
2. Capitale économique et financière
3. Capitale culturelle
4. Capitale intellectuelle
5. Capitale médiatique
6. Capitale internationale

a. le musée du Louvre
b. la Bourse
c. la Sorbonne
d. la maison de la radio
e. l'UNESCO
f. le palais de l'Élysée

▪ **Test 2** Vrai ou faux ?

/5

Paris n'est pas une ville gigantesque.

	Vrai	Faux
1. On peut la parcourir à pied.	❑	❑
2. La Marne traverse Paris.	❑	❑
3. Dans Paris *intra-muros*, les grands boulevards datent du XIXᵉ siècle.	❑	❑
4. La banlieue proche s'appelle la grande couronne, la banlieue plus éloignée, la petite couronne.	❑	❑
5. Paris compte deux bois : le bois de Vincennes et le bois de Boulogne.	❑	❑

▪ **Test 3** Répondez.

/5

Pourquoi compare-t-on Paris à un escargot ?

_____

_____

▪ **Test 4** Vrai ou faux ?

/4

	Vrai	Faux
1. Les vingt arrondissements de Paris se ressemblent. Du point de vue social, il n'y a pas de différence.	❑	❑
2. Les arrondissements du nord et de l'est sont les moins favorisés.	❑	❑
3. Le centre-ville est interdit aux voitures.	❑	❑
4. Les transports en commun fonctionnent 24 heures sur 24.	❑	❑

Total:

/20

■ Test 1   Soulignez la bonne réponse.

/4

Sous les Romains, Paris s'appelait :

1. Tournus.

3. Massalia.

2. Lugdunum.

4. Lutèce.

■ Test 2   Répondez.

/6,5

Quel moyen de transport a été inauguré à Paris en 1900 ?

_____

■ Test 3   Complétez avec « prix », « Bastille », « Bercy », « Beaubourg », « pyramide »,
« emplois », « bâtiments », « Défense », « Bibliothèque nationale de France ».

/4,5

Le visage de Paris a changé depuis 25 ans. De nouveaux _____ ont été

construits. Le centre d'art moderne Pompidou, généralement appelé _____ par

les Parisiens, le ministère de l'Économie de _____, la BNF (la _____

_____ _____), la Grande Arche de la _____, l'Opéra de la

_____, le Grand Louvre et sa _____ attirent beaucoup de touristes

français ou étrangers. Paris a aussi perdu des habitants, à cause de la perte des

_____ industriels et du _____ des appartements.

■ Test 4   Vrai ou faux ?

/5

Dans Paris, une station de métro porte le nom de :

	Vrai	Faux
1. Jésus-Christ.	❑	❑
2. Vercingétorix.	❑	❑
3. Jeanne d'Arc.	❑	❑
4. Victor Hugo.	❑	❑
5. Pasteur.	❑	❑
6. Gambetta.	❑	❑
7. Che Guevara.	❑	❑
8. Bolivar.	❑	❑
9. Charles de Gaulle.	❑	❑
10. Simone de Beauvoir.	❑	❑

Total:

/20

■ **Test 1** Soulignez la bonne réponse.

/3 **En France, l'Auvergne et le Limousin sont situés :**

1. au nord.　　　　　　　　　　**3.** au sud-est.

2. au centre.　　　　　　　　　**4.** au nord-ouest.

■ **Test 2** Vrai ou faux ?　　　　　　　　　　　　　　　　Vrai　Faux

/6 **1.** L'Auvergne est une région riche en eau.　　　　　❏　❏

2. L'Auvergne est une région très touristique.　　　❏　❏

3. L'Auvergne est une région ouvrière.　　　　　　　❏　❏

4. Le Limousin est une région riche en forêts.　　　❏　❏

5. Sa capitale régionale est Limoges.　　　　　　　　❏　❏

6. Limoges abrite un musée de la porcelaine.　　　　❏　❏

■ **Test 3** Complétez avec « eaux », « sources », « guérir », « tourisme », « thérapie ».

/5 L'Auvergne est connue pour ses _____ thermales. Cela a permis de développer

un _____ thermal. Il s'agit d'une _____ qui utilise les _____

des sources pour soigner et _____ différentes maladies.

■ **Test 4** Soulignez la bonne réponse.

/4 **Auguste Renoir est né à Limoges en 1841. Il était :**

1. écrivain.

2. poète.

3. peintre.

4. homme politique.

■ **Test 5** À l'aide des opérations indiquées, trouvez le nom de deux fromages typiques
de ces deux régions.

/2 *Exemple : compte – pe + é = comté*

1. fourmiller – ill – r = _____　　**2.** cantine – ine = _____

d'　　　　　　　　　　　　　　　　　　chalet – ch – et = _____

Lambert – l = _____

Total:
/20　　= _____　　= _____

■ **Test 1** **Répondez.**

`/4`

Compte tenu du nom de cette région, que pouvez-vous dire sur elle ?

_____

_____

■ **Test 2** **Cochez, parmi ces villes, celles qui se trouvent dans cette région.**

`/5`

1. Grenoble ❑	**5.** Strasbourg ❑
2. Dijon ❑	**6.** Lyon ❑
3. Saint-Étienne ❑	**7.** Lausanne ❑
4. Annecy ❑	**8.** Chambéry ❑

■ **Test 3** **Vrai ou faux ?**

`/5`

	Vrai	Faux
1. La capitale régionale de cette région est Lyon.	❑	❑
2. C'est la première région économique de France.	❑	❑
3. La région est traversée par le Rhône et la Saône.	❑	❑
4. C'est une région avec un réseau de communication modeste.	❑	❑
5. Le mont Blanc se trouve dans cette région.	❑	❑

■ **Test 4** **Parmi les spécialités gastronomiques citées ci-dessous, cochez celles de cette région.**

`/3`

1. le saucisson lyonnais ❑

2. le foie gras ❑

3. la fondue ❑

4. la flamiche ❑

5. le gratin dauphinois ❑

■ **Test 5** **Soulignez la bonne réponse.**

`/3`

Guignol est :

1. un quartier.

2. une marionnette.

3. un acteur.

4. un fromage.

5. une marque de ski.

Total:

`/20`

■ **Test 1**   Soulignez la bonne réponse.

/4

PACA signifie :

1. Principauté de Monaco-Antibes-Cannes-Ajaccio.

2. Provence-Alpes-Côte d'Azur.

3. Province Administrative de Cannes et des Alpes du sud.

■ **Test 2**   **Répondez.**

/6

La région PACA vit principalement du tourisme. Quels sont ses atouts ?

_____

_____

■ **Test 3**   Vrai ou faux ?   Vrai   Faux

/4

1. Le festival d'Avignon est un festival de musique classique.   ❑   ❑

2. Cézanne, Van Gogh, Picasso et Matisse ont peint la Provence.   ❑   ❑

3. La Corse compte plus de 1 000 kilomètres de côtes.   ❑   ❑

4. Giono est un écrivain corse.   ❑   ❑

■ **Test 4**   Soulignez la bonne réponse.

/3

Marseille, capitale de PACA et ville d'immigration compte :

1. 2 900 000 habitants.

2. 1 400 000 habitants.

3. 700 000 habitants.

■ **Test 5**   **Parmi les spécialités gastronomiques citées ci-dessous, cochez celles de PACA
et de la Corse.**

/3

1. la bouillabaisse   ❑

2. le poulet à la basquaise   ❑

3. la fondue   ❑

4. la ratatouille niçoise   ❑

5. le broccio   ❑

6. la tarte Tatin   ❑

Total :

/20

■ Test 1   **Répondez.**

/7

La Corse vit principalement du tourisme. Quels sont ses atouts ?

_____

_____

_____

■ Test 2   **Soulignez la bonne réponse.**

/4

Parmi les villes citées, quelle est la capitale régionale de la Corse ?

1. Porto Vecchio   **4.** Ajaccio

2. Sartène   **5.** Bastia

3. Calvi   **6.** Saint-Florent

■ Test 3   **Complétez la grille en donnant les réponses et vous trouverez le nom d'un produit corse :**

/4   _____.

1. *Guignol* est une…

2. Plus petit qu'un fleuve.

3. Les enfants qui vont à l'école.

4. Ils caractérisent le paysage de la région Auvergne.

■ Test 4   **Complétez avec « incomparable », « salant », « ancienne », « argentées », « riche ».**

/5

La ville de Porto Vecchio a été fondée en 1539. La troisième ville de Corse bénéficie

d'un littoral _____, avec ses plages _____ et un arrière-pays _____

en forêts. Depuis la porte génoise, on peut découvrir le marais _____. Porto

Vecchio, appelé aussi la cité du Sel, est entouré par une _____ fortification avec

cinq bastions.

Total:

/20

■ **Test 1**   **Complétez le texte.**

/4

Pendant longtemps, la langue française n'a pas été homogène. La langue d'**oc**, parlée dans le Sud de la France, s'opposait à la langue d'_____ parlée dans le Nord du pays.

■ **Test 2**   **Soulignez la bonne réponse.**

/4

Le Languedoc-Roussillon est tourné vers :

1. l'océan Atlantique.

2. la Méditerranée.

3. la Manche.

■ **Test 3**   **Vrai ou faux ?**

/4

	Vrai	Faux
1. Montpellier, ville universitaire, est aussi un pôle technologique.	❑	❑
2. Nîmes est la capitale du Languedoc-Roussillon.	❑	❑
3. Nîmes est célèbre pour ses vestiges de l'antiquité romaine.	❑	❑
4. La région, qui compte 40 plages, compte aussi des montagnes.	❑	❑

■ **Test 4**   **Associez les éléments proposés à gauche aux noms proposés à droite.**

/4

1. parc naturel   **a.** Montpellier

2. quartier Antigone conçu
      par l'architecte Ricardo Bofill   **b.** Nîmes

3. arènes romaines   **c.** Cévennes

4. plage   **d.** Le Grau-du-roi

■ **Test 5**   **Soulignez la bonne réponse.**

/4

Alphonse Daudet est né à Nîmes en 1840. Il est devenu :

1. biologiste.

2. écrivain.

3. pape.

4. président de la République.

Total:

/20

■ **Test 1** Cochez les bonnes réponses.

/4 **Les régions frontalières du Poitou-Charentes et de l'Aquitaine sont :**

1. le Centre. ❑   **5.** Champagne-Ardenne. ❑

2. l'Auvergne. ❑   **6.** Midi-Pyrénées. ❑

3. la Bretagne. ❑   **7.** les Pays de la Loire. ❑

4. le Limousin. ❑

■ **Test 2** Associez les capitales régionales à ces deux régions.

/2 **1.** Poitiers : _____

2. Bordeaux : _____

■ **Test 3** Vrai ou Faux ?   Vrai   Faux

/4 **1.** Bordeaux est un port historique.   ❑   ❑

2. Bordeaux est la troisième ville de France.   ❑   ❑

3. Bordeaux est situé sur la Garonne.   ❑   ❑

4. Bordeaux est une ville montagneuse.   ❑   ❑

■ **Test 4** Cochez les bonnes réponses.

/4 **Quels éléments proposés ci-dessous associez-vous à la région Aquitaine ?**

1. vin ❑

2. tissu ❑

3. porcelaine ❑

4. avions ❑

5. cidre ❑

■ **Test 5** **Parmi les spécialités gastronomiques citées ci-dessous, cochez celles que vous associez à l'Aquitaine.**

/6 **1.** foie d'oie ❑   **4.** gratin dauphinois ❑

2. fromage comté ❑   **5.** confit de canard ❑

3. magret de canard ❑   **6.** piperade ❑

Total: /20

■ **Test 1**   Cochez les bonnes réponses.

/6   **Le Poitou-Charentes est :**

1. une région agricole. ❑

2. une région tournée vers la mer. ❑

3. une région industrielle. ❑

4. une région touristique. ❑

5. une région culturelle. ❑

■ **Test 2**   **Complétez avec « technologique », « scientifique », « image », « voyages »,
« communication », « galaxies ».**

/6   Le Futuroscope de Poitiers est le parc de l'_____ et de la _____. Il a été

inauguré en 1987. Il s'agit d'un parc _____ et _____ dont les attractions

sont : les _____, les océans, les _____ lointains, le cybermonde.

Ces attractions se renouvellent continuellement.

■ **Test 3**   **Soulignez la bonne réponse.**

/2   **La Rochelle est :**

1. un lac.

2. un vieux port de pêcheurs.

3. une ville militaire.

4. un parc naturel.

■ **Test 4**   **Cochez les bonnes réponses.**

/6   **On va en Poitou-Charentes pour :**

1. visiter le marais poitevin. ❑

2. visiter les églises de Poitiers. ❑

3. goûter les vins de Bordeaux. ❑

4. goûter le pineau des Charentes. ❑

5. faire des pèlerinages. ❑

Total:
/20

■ Test 1 Soulignez la bonne réponse.

/4

En France, Midi-Pyrénées est situé :

1. au centre.

2. au sud-est.

3. au sud-ouest.

■ Test 2 Soulignez la bonne réponse.

/4

La capitale régionale, Toulouse, est située dans le département 31. Il s'agit :

1. du Gers.

2. des Hautes-Pyrénées.

3. de la Haute-Garonne.

4. du Lot.

■ Test 3 Répondez.

/4

À votre avis, pourquoi appelle-t-on Toulouse « la ville rose » ?

_____

_____

■ Test 4 Soulignez la bonne réponse.

/4

À votre avis, le canal du Midi, créé au XVIIe siècle, relie :

1. la Loire à la Méditerranée.

2. la Garonne à la Méditerranée.

3. l'océan Atlantique au Rhône.

4. le canal Saint-Martin à la Méditerranée.

■ Test 5 Soulignez la bonne réponse.

/4

AIRBUS est :

1. la première entreprise française d'autobus électriques. Elle est située à Toulouse.

2. un laboratoire de recherche franco-allemand qui contrôle la pollution atmosphérique.

3. un système de protection automobile.

Total:

/20

4. un avion moyen-courrier fabriqué à Toulouse.

■ **Test 1**   **Répondez.**

/4   **À votre avis, que signifie le mot *outre-mer* ?**

_____

_____

■ **Test 2**   **Répondez.**

/2   **Quels sont les sigles qui correspondent à :**

1. territoires d'outre-mer ? _____

2. départements d'outre-mer ? _____

■ **Test 3**   **Vrai ou faux ?**   Vrai   Faux

/4   **1.** Les DOM sont tous situés sur le continent américain.   ❑   ❑

2. Dans tous les DOM, le français est langue officielle.   ❑   ❑

3. Dans tous les DOM, le français est la seule langue parlée.   ❑   ❑

4. La plupart des DOM sont des pays de métissage.   ❑   ❑

■ **Test 4**   **Répondez.**

/6   **Pourquoi les DOM, régions éloignées de l'Hexagone, sont-elles des régions françaises ?**

_____

_____

■ **Test 5**   **Soulignez la bonne réponse.**

/4   **Le créole est :**

1. la langue unique parlée dans tous les territoires et départements d'outre-mer.

2. une langue qui s'est formée en faisant des emprunts à la langue des colonisateurs.

3. la langue écrite de la Martinique.

4. la langue des classes les plus aisées.

5. la langue essentiellement parlée par les adolescents.

Total:

/20

■ **Test 1** Vrai ou faux ?

/4

	Vrai	Faux
Les lois françaises s'appliquent dans les régions françaises d'outre-mer ?	❏	❏

■ **Test 2** Associez la Guyane avec trois des éléments suivants.

/3

a. Saint-Denis

b. Cayenne

c. le bagne

LA GUYANE   **d.** la pêche à la morue

e. le centre de lancement de la fusée Ariane

f. Édouard Glissant

■ **Test 3** Complétez avec « colons », « Indien », « esclaves », « café », « immigration », « métissée ».

/6

La Réunion, située dans l'océan _____, à l'est de Madagascar, est une île

aux paysages montagneux. Au XVIIIe siècle, la population était composée d'une majorité

d'_____, noirs et indiens, amenés pour cultiver le _____,

et de _____ blancs. Après l'abolition de l'esclavage en 1848, il y a eu

une _____ indienne et chinoise. La population actuelle est donc assez

_____.

■ **Test 4** Complétez le texte.

/4

Saint-Pierre-et-Miquelon, située près de la côte de Terre-Neuve au Canada, a un climat

_____ et humide. Sa principale ressource est la _____.

■ **Test 5** Soulignez la bonne réponse.

/3

Saint-Pierre-et-Miquelon compte environ :

1. 2 500 habitants.

2. 6 500 habitants.

3. 25 000 habitants.

4. 200 000 habitants.

Total:

/20

■ **Test 1** Associez les éléments proposés à gauche aux noms propres proposés à droite.

/4

1. négritude   **a.** Édouard Glissant

2. créole   **b.** la Réunion

3. volcan de la Soufrière   **c.** la Martinique

4. Fort-de-France   **d.** la Guadeloupe

■ **Test 2** Choisissez la bonne réponse.

/6

1. Un habitant de la Réunion, c'est un Réunionite ou un Réunionnais ? _____

2. Un habitant de la Martinique, c'est un Martiniquais ou un Martini ?_____

3. Un habitant de la Guadeloupe, c'est un Guadeloupéen ou un Guadeloupanais ?

_____

■ **Test 3** Soulignez la bonne réponse.

/5

Le rhum, boisson des îles, est fabriqué à partir de :

1. la betterave.

2. la banane.

3. l'ananas.

4. la canne à sucre.

5. le maïs.

■ **Test 4** Vrai ou faux ?   Vrai   Faux

/5

Le Zouk est :

1. une musique d'origine indienne.   ❏   ❏

2. un chant créole.   ❏   ❏

3. une musique qui associe les rythmes antillais et les rythmes africains. ❏   ❏

Total:

/20

4. une musique électronique.   ❏   ❏

■ Test 1 Répondez.

/6

Aujourd'hui, quels pays font partie de l'Union européenne ?

_____

_____

_____

■ Test 2 Répondez.

/4

Pourquoi la France a-t-elle, avec l'Allemagne, une place particulière en Europe ?

_____

_____

■ Test 3 Vrai ou faux ?

/6

	Vrai	Faux
1. Il existe un gouvernement européen.	❑	❑
2. Tous les pays de l'Union européenne ont adopté une monnaie unique, l'euro.	❑	❑
3. La pièce d'un euro est identique partout en Europe.	❑	❑
4. Les citoyens européens circulent librement en Europe.	❑	❑
5. Il n'y a plus de frontières en Europe. Les citoyens du monde entier circulent librement en Europe.	❑	❑
6. Les systèmes éducatifs de tous les pays européens sont identiques.	❑	❑

■ Test 4 Soulignez la bonne réponse.

/2

Où se trouve le siège du Parlement européen ?

1. À Strasbourg.

2. À Bruxelles.

3. Au Luxembourg.

4. À Genève.

■ Test 5 Répondez.

/2

Pouvez-vous décrire le drapeau européen ?

_____

Total:

/20

_____

■ **Test 1**   Soulignez la bonne réponse.

/5   À votre avis, combien de Français vivent hors de France ?

1. 500 000.   3. 7 millions.

2. 2 millions.   4. 10 millions.

■ **Test 2**   Où vivent principalement les Français à l'étranger ?

/4,5   Associez un nombre et un pays.

1. 260 000   a. Russie

2. 230 000   b. Australie

3. 180 000   c. Canada

4. 140 000   d. Chine

5. 11 000   e. Allemagne

6. 11 000   f. Royaume-Uni

7. 6 500   g. U.S.A

8. 5 000   h. Inde

9. 3 000   i. Japon

■ **Test 3**   Soulignez la bonne réponse.

/5   **L'espace de Schengen est :**

1. L'espace aérien réservé aux avions civils en Europe.

2. Une zone de libre circulation en Europe pour les citoyens européens.

3. L'ensemble des pays européens qui ne font pas partie de l'Union européenne.

■ **Test 4**   Répondez.

/5,5   **Qu'évoque pour vous le programme ERASMUS ?**

_____

_____

_____

Total:

/20

▪ **Test 1**   Soulignez la bonne réponse.

/2,5

Jusqu'à quelle date le français a-t-il été utilisé comme la langue de la diplomatie ?

     1. 1985.   **3.** 1945.

     2. 1918.   **4.** 1998.

▪ **Test 2**   Vrai ou faux ?   Vrai   Faux

/2,5

La France a mis en place un réseau de coopération culturelle.
Officiellement, il a pour but de :

	Vrai	Faux
1. aider à la construction d'équipements sociaux.	❏	❏
2. diffuser le français dans le monde.	❏	❏
3. aider au dialogue entre les cultures.	❏	❏
4. développer économiquement les pays les moins favorisés.	❏	❏
5. construire des écoles.	❏	❏

▪ **Test 3**   Complétez avec « économiquement », « populations », « avancés », « urgence »,

/6

« humanitaire », « développement ».

La France contribue _____ et techniquement au _____

des pays moins _____ et mène une action _____ pour

secourir les _____ civiles en situation d' _____.

▪ **Test 4**   Répondez.

/4

Pourquoi dit-on souvent que la France est le pays des droits de l'homme ?

_____

_____

▪ **Test 5**   Retrouvez quelques principes officiels de la politique étrangère de la France depuis 1960 en complétant les mots ci-dessous.

/5

     1. S _ _ _ D _ R _ _ É

     2. P _ _ X

     3. DÉ _ _ C _ _ _ T _ E

     4. D _ V _ _ _ _ PP _ M _ _ _ T

     5. I _ _ _ _ P _ _ D _ _ _ CE

Total:

/20

■ Test 1 Soulignez la bonne réponse.

/4

À votre avis, au niveau économique mondial, la France est :

1. la première puissance.

3. la quatrième puissance.

2. la cinquième puissance.

4. la dixième puissance.

■ Test 2 Parmi les produits cités, cochez ceux que vous associez à la France.

/5

1. pétrole	❑	**6.** marbre	❑
2. énergie nucléaire	❑	**7.** trains	❑
3. télécommunications	❑	**8.** montres	❑
4. pâtes	❑	**9.** gaz	❑
5. avions	❑	**10.** automobiles	❑

■ Test 3 Cochez les bonnes réponses.

/6

À votre avis, quels sont les trois principaux partenaires économiques de la France ?

1. Allemagne	❑	**5.** Espagne	❑
2. Burkina Faso	❑	**6.** Bangladesh	❑
3. États-Unis	❑	**7.** Italie	❑
4. Chine	❑	**8.** Japon	❑

■ Test 4 Complétez avec « groupes », « exportation », « agroalimentaire », « secteur », « diversifiée ».

/5

La France est le premier producteur européen d'_____ . Grâce à sa production _____ et à la création de grands _____, ce _____ est très compétitif. Malheureusement, la crise de la vache folle pénalise encore l'_____ de viande.

Total:

/20

■ **Test 1**

$\boxed{/3}$

Répondez. Tous les francophones parlent le français, mais il y a différentes manières d'utiliser le français.

Quand dit-on que le français est la *langue maternelle* ?

_____

Quand dit-on que le français est la *langue officielle* ?

_____

Quand dit-on que le français est la *langue habituelle* ?

_____

■ **Test 2**

$\boxed{/3}$

Répondez.

Pouvez-vous donner quelques exemples de pays où le français est langue maternelle ?

_____

_____

■ **Test 3**

$\boxed{/3}$

Répondez.

Et quelques exemples de pays où le français est langue officielle ?

_____

_____

■ **Test 4**

$\boxed{/6}$

Complétez avec « 50 », « océan », « territoires », « Maghreb », « 170 », « Afrique ».

_____ états dans le monde sont membres de la Francophonie. Environ

_____ millions de personnes partagent la langue française. Pour des raisons

historiques, on parle français dans les anciennes colonies d'_____ Noire,

du _____ (Maroc, Algérie, Tunisie), de l'_____ Indien, dans

les _____ et les départements d'outre-mer.

■ **Test 5**

$\boxed{/5}$

Répondez.

Pouvez-vous citer quelques écrivains francophones ?

_____

_____

Total:

$\boxed{/20}$

▪ **Test 1** Ces villes sont francophones. Associez chaque ville à son pays.

/10

1. Dakar	**a.** Côte d'Ivoire
2. Hanoi	**b.** Vietnam
3. Montréal	**c.** Maroc
4. Abidjan	**d.** Madagascar
5. Ouagadougou	**e.** Sénégal
6. Antananarivo	**f.** Canada
7. Alger	**g.** Haïti
8. Phnom Penh	**h.** Burkina Faso
9. Port-au-Prince	**i.** Algérie
10. Rabat	**j.** Cambodge

▪ **Test 2** Cochez les bonnes réponses.

/6

Les pays qui appartiennent à la Francophonie déclarent partager des valeurs communes. Lesquelles ?

1. Le dialogue des cultures. ❑

2. Le développement de la démocratie. ❑

3. Le principe d'une communauté économique entre pays francophones. ❑

4. Le combat pour la limitation de l'anglais dans le monde. ❑

5. Le soutien aux droits de l'homme. ❑

6. Le principe de la libre circulation de tous les francophones dans tous les pays francophones. ❑

▪ **Test 3** Complétez avec « conteurs », « orale », « musiciens », « francophone », « griots », « traditionnelle », « historiens », « Afrique ».

/4

Au Mali, comme dans le reste de l'_____ _____, la culture _____ est une culture _____ transmise par les _____ qui sont à la fois des _____, des _____ et des _____.

Total:

/20

■ Test 1 Parmi les dates proposées ci-dessous, cochez celles qui correspondent aux jours fériés en France.

/5

1. 24 décembre ❑   6. 8 mai ❑

2. 1er février ❑   7. 21 juillet ❑

3. 14 juillet ❑   8. 15 août ❑

4. 11 novembre ❑   9. 6 décembre ❑

5. 8 avril ❑

■ Test 2 Soulignez la bonne réponse.

/3

Les années bissextiles ajoutent un jour en :

1. janvier.   3. juin.

2. février.   4. décembre.

■ Test 3 Vrai ou faux ?

/6

	Vrai	Faux
1. Au mois de septembre, c'est la rentrée scolaire des enfants.	❑	❑
2. En France, on travaille 4 jours par semaine.	❑	❑
3. Au mois d'août, tout le monde est en vacances.	❑	❑
4. Certains services sont ouverts le samedi.	❑	❑
5. Dans toutes les villes, la Poste est ouverte sept jours sur sept.	❑	❑
6. L'école primaire se termine à la fin du mois de juin.	❑	❑

■ Test 4 Dites quelle est la différence entre :

/6

1. les fêtes d'origine religieuse et les fêtes d'origine historique.

_____

_____

2. les vacances d'hiver et les vacances de Noël.

_____

_____

3. les vacances de printemps et les grandes vacances.

_____

_____

Total:

/20

■ **Test 1**   Soulignez la bonne réponse.

/4   **La durée légale du travail en France est de :**

1. 39 heures.

2. 35 heures.

3. 41 heures.

■ **Test 2**   En France, quand et comment travaillent-ils ? (Plusieurs solutions sont possibles).

/8

métiers	la journée	la nuit	horaires réguliers	horaires irréguliers
cadre				
enseignant				
employé				
ouvrier				
infirmière				
journaliste				
boulanger				
avocat				

■ **Test 3**   À votre avis, que signifie l'expression *métro, boulot, dodo* ?

/8   _____

Total:

/20   _____

_____

■ **Test 1** Soulignez la bonne réponse.

/4 **Travailler** à *temps partiel* **signifie :**

1. travailler uniquement le matin.

2. travailler uniquement la nuit.

3. travailler moins que le temps plein.

4. travailler la moitié du temps légal.

5. travailler le week-end.

6. travailler les jours fériés.

■ **Test 2** Complétez avec « bord », « samedi », « 8 heures », « cinéma », « employée »,

/6 « 14 heures », « gym », « midi », « restaurant », « vendredi », « repas », « lundi ».

Martine, qui vit à Nantes, est _____ à la Poste. Elle travaille tous les jours :

du _____ au _____, de _____ à _____ et

le _____ jusqu'à _____ . Quand elle ne travaille pas, elle fait

de la _____, parfois elle va au _____ ou au _____ . Le

week-end, elle préfère rester chez elle et préparer un bon _____ pour

sa famille ou se promener au _____ de la mer.

■ **Test 3** Choisissez un des personnages et décrivez sa journée type.

/10 **Cadre dans l'industrie automobile ? Boulanger en ville ? Caissière dans un hypermarché ?**

_____

_____

_____

_____

Total:

/20

■ **Test 1**   Répondez.

`/5`   Comment s'organise généralement la vie d'un étudiant en France ?

_____

_____

_____

■ **Test 2**   Quelle est la différence entre :

`/8`   **1.** loger dans un foyer ?

_____

2. vivre en colocation ?

_____

3. loger à la cité universitaire ?

_____

4. loger dans une chambre de bonne ?

_____

■ **Test 3**   Éliminez l'intrus.

`/3`   **1.** étudiant / bibliothèque / université / randonnée

2. hôtel / appartement / cité universitaire / foyer

3. baby-sitter / médecin / serveur / vendeur

■ **Test 4**   Cochez les bonnes réponses.

`/4`   **La carte d'étudiant offre certains avantages. Lesquels ?**

1. libre accès aux bibliothèques universitaires   ❏

2. tarifs réduits aux musées   ❏

3. tarifs réduits aux fast-food   ❏

4. libre accès aux restaurants universitaires   ❏

5. tarifs réduits pour les transports en commun   ❏

6. libre accès aux bistrots   ❏

Total:

`/20`

■ Test 1   Les Français d'aujourd'hui aiment :

	oui	non	parfois
faire de grands repas de famille.			
inviter des amis autour d'un plat.			
manger dans les fast-food.			
manger équilibré.			
manger beaucoup de viande.			
manger davantage de poisson.			
chauffer des plats déjà préparés.			

/10,5

■ Test 2   Vrai ou faux ?

/4

Les produits biologiques sont :

	Vrai	Faux
1. des produits cultivés sans engrais.	❏	❏
2. des légumes.	❏	❏
3. des produits cultivés en petites quantités.	❏	❏
4. des produits fabriqués en laboratoire.	❏	❏

■ Test 3   Parmi ces trois recettes laquelle associez-vous à la cuisine française ? Dites pourquoi.

/5,5

_____

_____

1.	2.	3.
250 grammes de spaghetti Une boîte de thon à l'huile d'olive 120 grammes d'olives noires 50 grammes de câpres Sel, poivre	Un concombre 250 grammes de feta 500 grammes de tomates Huile Sel, poivre	500 grammes de foie gras de canard 0,5 dl de cognac Jus de truffe Sel, poivre

Total:

/20

■ **Test 1** Associez les aliments aux repas. (Plusieurs combinaisons sont possibles.)

1. lait

2. pain

3. fromage

4. croque-monsieur

5. pain au chocolat

6. omelette

7. thé

8. café

9. yaourt

10. beurre

11. charcuterie

a. petit déjeuner

b. déjeuner

c. goûter

d. dîner

■ **Test 2** Complétez la grille à l'aide des indications et vous trouverez le nom d'une spécialité

française : _____ .

1. Se boit le matin et après les repas.

2. En fin de repas.

3. Tout ce qu'on boit.

4. On y mange le midi.

5. Viande ou ... ?

6. Avec le poivre.

7. Avant le dîner.

8. Repas du soir.

9. Il faut la dresser avant les repas.

■ **Test 3** Éliminez l'intrus.

1. chèvre / roquefort / camembert / clafoutis

2. crème caramel / reine-claude / éclair / charlotte

3. croissant / pain aux raisins / quiche / brioche

4. sole meunière / gigot de mouton / bœuf bourguignon / blanquette

Total:

/20

■ **Test 1**   Cochez la ou les bonnes réponses.

/3   En France, quand on invite quelqu'un chez soi, il s'agit en général d'une invitation :

1. à partager un repas ❑   **3.** à prendre un café. ❑
(déjeuner ou dîner).

2. à partager un petit déjeuner. ❑   **4.** à venir bavarder un moment. ❑

■ **Test 2**   Soulignez la bonne réponse.

/3   Selon l'âge, le milieu social, la région, il peut y avoir des différences, mais en général le dîner a lieu autour de :

1. 18 h 30.   **3.** 21 h 30.

2. 20 h 00.

■ **Test 3**   Associez les phrases de gauche aux deux options proposées à droite.

/6   **1.** Mettre les petits plats dans les grands.

2. Une invitation à la bonne franquette.

3. Une invitation à la fortune du pot.   **a.** Recevoir ses amis avec simplicité.

4. Se mettre en quatre.   **b.** Faire des efforts particuliers pour recevoir ses invités.

5. On est entre nous.

6. Se mettre en frais.

■ **Test 4**   Répondez.

/3   À votre avis qu'est-ce qu'un goûter d'anniversaire ?

_____

_____

■ **Test 5**   Cochez les bonnes réponses.

/5   Les invités apportent en général, en arrivant, un petit cadeau. Celui-ci peut être différent selon l'âge, le milieu social, la région. Quels sont les cadeaux les plus habituels ?

1. Des fleurs. ❑   **5.** Du pain. ❑

2. Du vin. ❑   **6.** Un livre. ❑

3. De la viande. ❑   **7.** Un produit d'entretien. ❑

Total: **4.** Un gâteau. ❑   **8.** Des chocolats. ❑
/20

▪ Test 1   Dans les marchés en plein air en France, on vend :

/7,5

	toujours	quelquefois	jamais
des meubles			
des vêtements			
des produits artisanaux			
des produits alimentaires			
des ordinateurs			

▪ Test 2   Complétez avec « achats », « hypermarchés », « marchandes », « périphérie », « centres commerciaux ».

/5

Pour faire les courses, les Français ont beaucoup de choix. Comme dans la plupart

des autres pays d'Europe, les _____ sont de plus en plus nombreux à

la _____ des grandes villes. Ils sont généralement situés dans des _____

_____ ou dans des galeries _____. On vient là en voiture pour faire

les _____ de la semaine ou du mois.

▪ Test 3   Répondez.

/3,5

À votre avis, qu'appelle-t-on *commerce de proximité* ?

_____

_____

▪ Test 4   Cochez les bonnes réponses.

/4

Parmi ces grands magasins, lesquels sont d'origine française ?

1. Harrod's	❏	5. Galeries Lafayette	❏
2. Printemps	❏	6. Macy's	❏
3. Tati	❏	7. El Corte Inglès	❏
4. UPIM	❏	8. Nouvelles Galeries	❏

Total:

/20

■ **Test 1** En France, à quelle heure les commerces/services suivants ouvrent le matin ?

commerces/services	7 heures	8 heures	9 heures	10 heures
commerces de proximité				
boucherie				
poste				
marché				
banque				
grands magasins				
boulangerie				
crèches				

■ **Test 2** Soulignez la bonne réponse.

/5

***Solder des produits* signifie :**

1. baisser le prix des produits de mauvaise qualité.

2. baisser le prix des produits invendus.

3. baisser le prix des produits importés.

4. baisser le prix des produits très chers.

■ **Test 3** Répondez.

/7

En France, il existe des magasins qui sont ouverts tard la nuit et pendant le week-end. À votre avis, pourquoi ?

_____

_____

Total:

/20

▪ **Test 1**   Associez les moyens de transport aux lieux desservis.

/7

moyens de transport	trajets en ville	trajets du centre-Ville à la banlieue	trajets d'une ville à l'autre
vélo			
métro			
train			
RER			
TGV			
autobus			
scooter			

▪ **Test 2**   **Répondez.**

/5

Pourquoi en France l'utilisation des transports en commun est-elle de plus en plus recommandée en ville ?

_____

_____

▪ **Test 3**   **Complétez le texte avec « circulation », « rollers », « sportifs », « cyclables ».**

/4

Depuis quelques années, la création de pistes _____ dans les grandes villes rend

la _____ plus sûre. Ainsi, les plus _____ peuvent utiliser sans trop

de danger le vélo et, phénomène récent, les _____ .

▪ **Test 4**   **Éliminez l'intrus.**

/4

1. métro / tramway / vélo

2. scooter / voiture / mobylette

3. train / RER / autobus

4. moto / rollers / vélo

Total:

/20

■ **Test 1**   Répondez.

/5

Connaissez-vous la signification des sigles suivants ?

1. SNCF _____

2. RER _____

3. TGV _____

4. TER _____

5. RATP _____

■ **Test 2**   Répondez.

/4

Quel moyen de transport les Français utilisent-ils le plus ?

_____

_____

■ **Test 3**   Complétez avec « vitesse », « habitudes », « avion », « connu », « Dijon », « nord ».

/6

Grâce à sa _____, le TGV remplace souvent l'_____ . Il a aussi changé

les _____ des Français : maintenant on peut habiter le _____ de la France

et travailler à Paris, ou encore habiter à Paris et travailler à _____ . Le plus

_____ des TGV est l'Eurostar, qui relie Paris à Londres.

■ **Test 4**   Répondez.

/3

Connaissez-vous le nom de la compagnie aérienne nationale française ?

_____

■ **Test 5**   Parmi ces compagnies aériennes, cochez celles qui sont d'origine française.

/2

1. KLM	❑	5. RAYANAIR	❑
2. UTA	❑	6. VIRGIN	❑
3. CORSAIR	❑	7. EASYJET	❑
4. MERIDIANA	❑	8. AIR LITTORAL	❑

Total:

/20

▪ **Test 1** Répondez.

/3 Connaissez-vous quelques fêtes traditionnelles françaises ?

_____

_____

▪ **Test 2** Associez les produits (à gauche) aux fêtes (à droite).

/4
1. galettes   a. Saint-Sylvestre
2. crêpes   b. Noël
3. bûche   c. Fête des Rois
4. champagne   d. Chandeleur

▪ **Test 3** Vrai ou faux ?   Vrai   Faux

/5
1. Noël est la fête des enfants.   ❑   ❑
2. Pour Noël, on décore les maisons avec des sapins.   ❑   ❑
3. Les catholiques vont à la messe de minuit.   ❑   ❑
4. Noël est la fête des amoureux.   ❑   ❑
5. À Noël, on mange la galette.   ❑   ❑

▪ **Test 4** Complétez avec « gras », « carême », « carnaval », « déguise », « capitale », « défilés ».

/6   Le mardi _____ est le dernier jour de _____. On se _____ et,

dans certaines villes, on organise des _____ de chars. Le défilé le plus connu est

à Nice, _____ du carnaval. Ce jour précède la période de jeûne du _____.

▪ **Test 5** Cochez les bonnes réponses.

/2   **Pour la Saint-Valentin les amoureux :**

1. vont au cinéma.   ❑
2. s'échangent des cartes.   ❑
3. mangent la bûche.   ❑
4. s'échangent des cadeaux.   ❑
5. vont à la messe de minuit.   ❑

Total:
/20

■ **Test 1** Répondez.

/8

Parmi les mots de la liste, cochez ceux que vous associez à la fête de Pâques.

1. œufs ❑   7. mai ❑

2. cloches ❑   8. chocolat ❑

3. poissons ❑   9. avril ❑

4. clochers ❑   10. lapins ❑

5. poules ❑   11. mardi ❑

6. dimanche ❑

■ **Test 2** Soulignez la bonne réponse.

/2

La Fête de la musique annonce :

1. l'arrivée de l'automne.

2. l'arrivée du printemps.

3. l'arrivée de l'été.

4. l'arrivée de l'hiver.

■ **Test 3** Répondez.

/4

Le 14 juillet est la fête nationale française. Qu'est-ce qu'on célèbre ?

_____

_____

■ **Test 4** Vrai ou faux ?

/6

	Vrai	Faux
1. Le 1er avril tout le monde se déguise.	❑	❑
2. Le 1er avril certains font des farces.	❑	❑
3. Pour le 1er avril, on mange des galettes.	❑	❑
4. Pour Halloween, les enfants se déguisent.	❑	❑
5. La fête d'Halloween vient des États-Unis.	❑	❑
6. À Halloween, les enfants demandent aux voisins des bonbons.	❑	❑

Total: **/20**

▪ **Test 1** **Complétez le texte par les chiffres manquants : *1, 2, 4, 5, 12*.**

/5

Les salariés en France ont _____ semaines de congés payés. Cependant,

_____ Français sur 10 ne partent pas en vacances et restent chez eux pendant

les _____ mois de grand départ. La France reste la destination n° _____

des Français, mais environ _____ % d'entre eux partent à l'étranger,

principalement en Europe.

▪ **Test 2** **Voilà les destinations préférées des Français pour les vacances. Notez de 1 à 4 pour**
les remettre dans l'ordre d'importance.

/4

1. la montagne _____   **3.** les villes _____

2. la campagne _____   **4.** la mer _____

▪ **Test 3** **Vrai ou faux ?**   Vrai   Faux

/5   **Les Français :**

1. partent surtout en hiver.   ❑   ❑

2. partent souvent pendant l'année.   ❑   ❑

3. partent longtemps.   ❑   ❑

4. préfèrent partir en été.   ❑   ❑

5. préfèrent partir à l'étranger.   ❑   ❑

▪ **Test 4** **Soulignez la bonne réponse.**

/2   **À votre avis, les *congés payés* sont :**

1. des chèques que les salariés reçoivent avant de partir en vacances.

2. une aide économique pour que les sans emploi partent aussi en vacances.

3. les vacances payées accordées par la loi aux salariés.

4. des aides économiques que l'État offre pour promouvoir les voyages à l'étranger.

▪ **Test 5** **Répondez.**

/4   **À votre avis, quelles sont les catégories sociales qui partent moins en vacances ?**

_____

_____

Total:

/20

■ **Test 1** Soulignez la bonne réponse.

/5 **Qu'appelle-t-on *loisirs* ?**

1. Le temps libre en dehors du travail.

2. Les sorties (cinéma, théâtre, cirque, concerts).

3. Les activités sportives.

4. Les balades en famille ou entre amis.

5. La vie associative.

■ **Test 2** Vrai ou faux ?   Vrai   Faux

/4 **Pour quelles raisons le temps de loisirs a-t-il augmenté en France**
en quelques décennies ?

1. La durée hebdomadaire du temps de travail a diminué.   ❑   ❑

2. Plus on dépense pour les loisirs, moins on paie d'impôts.   ❑   ❑

3. Le temps consacré au travail domestique a légèrement diminué. ❑   ❑

4. La durée de la vie après la retraite a augmenté.   ❑   ❑

■ **Test 3** Soulignez la bonne réponse.

/5 **Par an, quel budget les Français consacrent-ils en moyenne à leurs loisirs ?**

1. 500 euros.   **3.** 5 000 euros.

2. 1 000 euros.   **4.** 10 000 euros.

■ **Test 4** **En moyenne, à quelles activités de loisirs les Français consacrent-ils le plus de temps ?**
Mettez-les dans l'ordre.

/6 *la lecture – la télévision – les visites aux parents et connaissances – la promenade*
et le tourisme – les jeux – la conversation

1. (127 minutes par jour) _____

2. (25 minutes par jour) _____

3. (20 minutes par jour) _____

4. (17 minutes par jour) _____

5. (16 minutes par jour) _____

6. (16 minutes par jour) _____

Total:

/20

3 ■ LES LOISIRS (2)

■ **Test 1** Vrai ou faux ?   Vrai   Faux

/4   **En France, les sports les plus populaires sont les sports collectifs.**   ❑   ❑

■ **Test 2** **Notez de 1 à 3 pour mettre dans l'ordre les sports collectifs les plus pratiqués**
par les Français.

/3   **1.** le tennis _____

2. les arts martiaux_____

3. le football _____

■ **Test 3** Vrai ou faux ?   Vrai   Faux

/4   **La victoire de la France en Coupe du monde de football en 1998 a été un grand**
événement sportif. Cela a été aussi un événement social important. Pourquoi ?

1. L'équipe était une équipe multiculturelle.   ❑   ❑

2. L'équipe n'était pas une équipe professionnelle.   ❑   ❑

3. L'équipe était constituée d'anciens chômeurs.   ❑   ❑

4. Tous les joueurs venaient du sud de la France.   ❑   ❑

■ **Test 4** **Répondez.**

/6   **Une des grandes manifestations sportives françaises est le Tour de France. De quoi**
s'agit-il ?

_____

_____

■ **Test 5** Vrai ou faux ?   Vrai   Faux

/3   **Certains sportifs français célèbres font de la publicité pour :**

1. des produits alimentaires.   ❑   ❑

2. des organisations religieuses.   ❑   ❑

3. des partis politiques.   ❑   ❑

Total:

/20

■ **Test 1** Pour les Français, quelles sont les sorties les plus fréquentes ? Notez de 1 à 6 pour les classer par ordre décroissant.

/6

1. les spectacles (le cirque, le théâtre, les concerts) _____

2. les expositions de peinture _____

3. le cinéma _____

4. la visite de monuments _____

5. les brocantes _____

6. les musées _____

■ **Test 2** Soulignez la bonne réponse.

/2

À votre avis, les Français vont-ils en moyenne au cinéma :

1. 15 fois par an.

2. 10 fois par an.

3. 3 fois par an.

4. 1 fois par an.

■ **Test 3** Répondez.

/4

Connaissez-vous quelques films français ?

_____

_____

■ **Test 4** Répondez.

/4

Pouvez-vous citer quelques grands musées français ?

_____

_____

■ **Test 5** Vrai ou faux ?

/4

	Vrai	Faux
1. Le festival d'Avignon est un festival de musique celte.	❑	❑
2. Le festival d'Avignon est le festival de théâtre le plus célèbre de France.	❑	❑
3. Le festival d'Avignon est un festival de chansons françaises.	❑	❑
4. Le festival d'Avignon est le festival de la bande dessinée.	❑	❑

Total:

/20

■ Test 1

Associez les noms de genres musicaux à leur définition.

/6

1. le raï
2. le rap
3. la musique classique
4. la musique contemporaine
5. la variété
6. la « techno »

a. musique instrumentale d'aujourd'hui
b. la chanson
c. genre musical arabe
d. musique qui s'oppose à la musique populaire
e. musique électronique
f. style de musique avec paroles très rythmées

■ Test 2

Soulignez la bonne réponse.

/2,5

Combien de Français jouent d'un instrument de musique ?

1. 46 %
2. 23 %

3. 12 %
4. 2 %

■ Test 3

/5,5

Complétez avec « livres », « augmente », « diminue », « disques », « lecture », « illettrisme », « bibliobus », « valorisé », « emprunter », « bandes vidéo », « bibliothèques-médiathèques ».

En France, le nombre de livres lus _____ et comme dans tous les pays d'Europe, l'_____ existe. Cependant, la lecture est encore un loisir _____ .

Beaucoup d'efforts sont faits pour que le nombre de lecteurs _____ .

Dans la plupart des villes, il existe des _____ qui permettent d'_____ des livres, des _____ , des _____ . Dans les zones rurales, des _____ proposent des _____ à domicile. Tous les ans, une journée nationale de la _____ est organisée.

■ Test 4

Éliminez l'intrus.

/6

1. la Fête de la Musique / le Festival d'Avignon / les Francofolies / la Technoparade / Le Printemps de Bourges

2. Édith Piaf / Manu Chao / Patricia Kass / Madonna / Zebda

3. Gauguin / Van Gogh / Monet / Manet / Degas

4. Godard / Jeunet / Truffaut / Kubrick / Renoir

5. Aragon / Senghor / Baricco / Le Clézio / Modiano

6. le Louvre / le Prado / le musée d'Orsay / le Centre Pompidou / le carré d'art contemporain de Nîmes

Total:

/20

■ **Test 1**   Soulignez la bonne réponse.

/3   Qu'appelle-t-on *médias* ?

1. Les intermédiaires entre les artistes et le public.

2. La presse écrite.

3. L'ensemble des moyens d'informations (télévision, radio, presse écrite, journaux en ligne).

■ **Test 2**   Répondez.

/4   **Connaissez-vous quelques chaînes de télévision françaises ?**

_____

_____

■ **Test 3**   Soulignez la bonne réponse.

/3   **À votre avis, combien de temps les Français passent-ils, chaque jour, à regarder la télévision ?**
Environ :

1. 5 h

2. 3 h 30

3. 2 h

4. 1 h

■ **Test 4**   **Notez de 1 à 6 pour classer, par ordre, les émissions télévisuelles les plus regardées par les Français.**

/6

1. les fictions _____   4. le journal télévisé _____

2. les magazines _____   5. les jeux _____

3. le sport _____   6. les films _____

■ **Test 5**   Répondez.

/4   **En France, la radio est-elle publique ou privée ?**

_____

_____

Total :

/20

■ **Test 1**   Cochez les bonnes réponses.

/5   **Parmi ces titres de journaux, lesquels sont des quotidiens ?**

1. Le Monde ☐   6. L'Express ☐

2. Le Nouvel Observateur ☐   7. Le Canard enchaîné ☐

3. Libération ☐   8. Le Dauphiné libéré ☐

4. Le Figaro ☐   9. La Voix du Nord ☐

5. Ouest-France ☐

■ **Test 2**   Trouvez une définition.

/3   1. Les quotidiens régionaux sont _____

2. Les quotidiens nationaux sont _____

■ **Test 3**   Soulignez la bonne réponse.

/2   **À votre avis combien de Français lisent :**

1. un quotidien national : 10 %, 20 %, 30 %, 40 %, 50 %, 60 % de la population.

2. un quotidien régional : 10 %, 20 %, 30 %, 40 %, 50 %, 60 % de la population.

■ **Test 4**   Répondez.

/5   **Pourquoi l'arrivée des quotidiens gratuits, dans les grandes villes, déclenche-t-elle des polémiques ?**

_____

_____

■ **Test 5**   Répondez.

/5   **Pouvez-vous citer quelques titres de magazines français ?**

magazines d'actualité	magazines thématiques	magazines destinés à un public précis

Total:

/20

■ **Test 1**

/5,5

Complétez avec « relations sociales », « voisins », « travail », « temps libre », « parents proches », « âge », « jeunesse », « commerçants », « retraite », « adulte », « lieu ».

Comme dans la plupart des pays, en France, les _____ dépendent

beaucoup du _____ qu'on fait, du _____ où on habite, de ce qu'on

fait pendant son _____ . Elles dépendent aussi de l'_____ qu'on a.

Les amitiés de la _____ (le temps des copains) ne ressemblent pas à celles

de l'âge _____ marqué par l'entrée dans le monde du travail. À L'âge de

la _____ les choses changent encore et les _____ , les _____ ,

les _____ deviennent les principales relations.

■ **Test 2**

/5,5

Répondez.

Qu'appelle-t-on *la vie de quartier* ?

_____

_____

■ **Test 3**

/9

Cochez la bonne réponse. En France, en ville, entre voisins on a l'habitude

	souvent	quelquefois	jamais
1. de se saluer.	❑	❑	❑
2. de passer bavarder un moment tous les soirs.	❑	❑	❑
3. d'arroser les plantes pendant les vacances.	❑	❑	❑
4. de garder les clés.	❑	❑	❑
5. de s'inviter pour le réveillon de Noël.	❑	❑	❑
6. d'emprunter de l'argent.	❑	❑	❑
7. de garder le chien pendant quelques jours.	❑	❑	❑
8. de garder les enfants.	❑	❑	❑
9. de proposer de loger des amis du voisin dans son appartement. ❑		❑	❑

Total:

/20

▪ **Test 1** Répondez.

/4

Qu'entend-on par *animaux de compagnie* ?

_____

_____

▪ **Test 2** Soulignez la bonne réponse.

/3

En France on compte :

1. 47 000 000 d'animaux de compagnie.

2. 5 000 000 d'animaux de compagnie.

3. 5 000 animaux de compagnie.

▪ **Test 3** Cochez les bonnes réponses.

/3

Parmi les animaux cités, quels sont les animaux de compagnie que les Français préfèrent ?

1. chats ❑

2. lapins ❑

3. chiens ❑

4. serpents ❑

5. oiseaux ❑

6. cochons ❑

7. singes ❑

▪ **Test 4** Vrai ou faux ?

/4

	Vrai	Faux
1. En France, il existe des lois qui concernent les animaux domestiques.	❑	❑
2. Ce sont toujours les personnes âgées qui aiment la compagnie des animaux.	❑	❑
3. Beaucoup d'animaux sont abandonnés lors des départs en vacances.	❑	❑
4. En ville, il existe des espaces aménagés pour les animaux.	❑	❑

▪ **Test 5** Répondez.

/6

Qu'entend-on par *nouveaux animaux de compagnie* (NAC) ?

_____

_____

Total:

/20

■ **Test 1** /3 **Répondez.**

Depuis 1792, la France a eu cinq Républiques. Quand passe-t-on d'une République à une autre ?

_____

_____

■ **Test 2** /3 **Répondez.**

La Constitution française repose sur le principe de la séparation des pouvoirs. Quels sont ces pouvoirs ?

_____

■ **Test 3** /5 **Vrai ou faux ?**

Le Président :

	Vrai	Faux
1. est le chef de l'État.	❑	❑
2. est le chef des Armées.	❑	❑
3. est élu pour trois ans.	❑	❑
4. nomme le Premier ministre.	❑	❑
5. peut dissoudre l'Assemblée nationale.	❑	❑

■ **Test 4** /3 **Soulignez la bonne réponse.**

La *cohabitation* signifie :

1. que les trois pouvoirs ne sont pas séparés.

2. que deux Présidents sont élus en même temps.

3. que le Président n'est pas du même parti politique que le Premier ministre.

4. que le Premier ministre et le Président travaillent ensemble.

■ **Test 5** /6 **Complétez avec « quinquennat », « Constitution », « suffrage », « chef », « indépendance », « Président ».**

Le _____ est le _____ de l'État. Il est élu, depuis 1962, au _____ universel direct et, depuis 2002, pour cinq ans : il s'agit du _____ . Le rôle du Président de la République est de veiller au respect de la _____ et de garantir l'_____ et l'intégrité de la France.

Total: /20

■ **Test 1** **Répondez.**

/3 Le Parlement français est *bicaméral.* Qu'est-ce que cela signifie ?

_____

_____

■ **Test 2** **Cochez les bonnes réponses.**

/2 **Le Parlement français :**

1. élabore les lois. ❑

2. élit le Premier ministre. ❑

3. élit les députés. ❑

4. modifie la Constitution. ❑

■ **Test 3** **Complétez avec « Bourbon », « modifier », « ensemble », « Luxembourg », « séparément ».**

/5 L'Assemblée nationale et le Sénat travaillent _____, mais lorsqu'il s'agit de

_____ la Constitution, ils travaillent _____ . Le siège de l'Assemblée

nationale est au palais_____, celui du Sénat au palais du _____ .

■ **Test 4** **Répondez.**

/3 À votre avis, pourquoi l'Assemblée nationale est-elle appelée *Hémicycle* ?

_____

_____

■ **Test 5** **Complétez la grille à l'aide des définitions et vous trouverez le nom des représentants**

/7 **de l'Assemblée nationale : _____ .**

1. Aimer beaucoup.

2. On le boit à cinq heures

3. On en mange à tous les repas.

4. Plus fort que désirer.

5. C'est le moyen de transport préféré des Français.

6. Synonyme de profession.

7. Le premier homme de France.

Total:

/20

■ **Test 1** **Répondez.**

/3

Parmi les personnages cités, soulignez celui qui est à l'origine du droit moderne.

1. Charlemagne

2. François 1er

3. Louis XIV

4. Napoléon

■ **Test 2** **Éliminez l'intrus.**

/4

1. magistrat / juge / sénateur

2. exploitation / indépendance / égalité

3. tribunaux / palais de justice / palais Bourbon

4. culpabilité / innocence / gratuité

■ **Test 3** **Parmi les trois mots proposés, choisissez la bonne réponse.**

/4

1. Tous les citoyens sont *(égaux / libres / indépendants)* _____ devant la loi.

2. La justice en France est *(payante / gratuite / bénévole)* _____ .

3. Les audiences des tribunaux sont *(fermées / ouvertes / favorables)* _____ à tous.

4. Les juges sont *(dépendants / indépendants / influencés)* _____ dans l'exercice de leurs fonctions.

■ **Test 4** **Répondez.**

/4

La *présomption d'innocence* est un des principes du pouvoir judiciaire français. Qu'est-ce que cela signifie ?

_____

_____

■ **Test 5** **Associez les mots de gauche aux éléments de droite.**

/5

1. Code   **a.** judiciaire

2. droit   **b.** démocratiques

3. principes   **c.** Napoléon

4. audiences   **d.** moderne

Total:

/20

5. pouvoir   **e.** publiques

C.P.F.
PAGE 104

▪ **Test 1**

16,5

Complétez avec « droite », « UMP », « socialiste », « UDF », « présidentielles », « LCR », « FN », « adhérents », « gauche », « Verts », « communiste », « LO », « PS ».

On oppose traditionnellement en France la _____ à la _____ . À droite, le principal parti s'est formé à l'occasion des élections _____ d'avril 2002. C'est l'Union pour la majorité présidentielle (_____). En dehors de ce rassemblement, existe aussi l'Union pour la démocratie française (_____). L'extrême droite est essentiellement représentée par le Front national (_____). À gauche, le parti _____ est le parti le plus important en nombre d'_____ . De 1997 à 2002, le parti socialiste (_____) a formé avec ses principaux alliés les _____ et le parti _____ le gouvernement de la gauche plurielle. Il existe aussi une extrême gauche, très minoritaire mais active : la Ligue communiste révolutionnaire (_____) et Lutte ouvrière (_____).

▪ **Test 2**

/4

Vrai ou Faux ?

	Vrai	Faux
1. La gauche est unie en un seul parti.	❑	❑
2. Les associations ne s'occupent que de problèmes locaux.	❑	❑
3. Aux dernières élections présidentielles, le Parti communiste a obtenu 19 % des voix.	❑	❑
4. Le parti des Verts est le parti des écologistes.	❑	❑

▪ **Test 3**

/3,5

Soulignez la bonne réponse.
Combien de syndiqués compte-t-on en France ?

1. 7 %

2. 15 %

3. 23 %

▪ **Test 4**

/6

Vrai ou Faux ?

	Vrai	Faux
1. Les partis politiques ont en principe un programme politique.	❑	❑
2. Il existe quatre partis politiques.	❑	❑
3. Il existe 100 000 associations.	❑	❑
4. Certaines associations ont un projet humanitaire.	❑	❑
5. Certaines associations ont un projet social ou politique.	❑	❑
6. La plupart des associations sont des associations culturelles ou politiques.	❑	❑

Total: */20*

■ **Test 1** Vrai ou faux ?   Vrai Faux

/3

En France, on considère qu'une famille c'est :

deux personnes, au moins, vivant ensemble dans la même maison.   ❏   ❏

■ **Test 2** **Associez les termes aux définitions.**

/6

1. le mariage

a. Contrat passé entre deux personnes du même sexe ou du sexe opposé.

2. le PACS (Pacte civil de solidarité)

b. Cohabitation d'un couple, dans la même maison, sans lien officiel.

3. l'union libre

c. Acte qui établit l'union d'une femme et d'un homme, selon les règles du code civil.

■ **Test 3** Vrai ou faux ?   Vrai Faux

/5

1. Le mariage légal est le mariage civil.   ❏   ❏

2. L'âge moyen du mariage, pour les hommes, est 30 ans.   ❏   ❏

3. L'âge moyen du mariage, pour les femmes, est 23 ans.   ❏   ❏

4. 43 % des enfants naissent hors mariage.   ❏   ❏

5. 80 % des Français vivent en couple.   ❏   ❏

■ **Test 4** **Pour un mariage, est-il obligatoire, habituel, possible de :**

/6

	obligatoire	habituel	possible
célébrer le mariage à la mairie.			
faire un contrat de mariage.			
faire une liste de mariage (liste des cadeaux possibles).			
faire une fête pour ses amis et sa famille.			
faire une cérémonie religieuse après le mariage civil.			
passer une annonce dans un journal.			

Total:

/20

■ **Test 1**　Répondez.

`/6`

À votre avis, qu'appelle-t-on une *famille monoparentale*?

_____

_____

■ **Test 2**　Soulignez la bonne réponse.

`/6`

Qu'appelle-t-on une *famille recomposée*?

1. Les gens divorcés créent souvent une nouvelle famille. On parle de famille recomposée quand les enfants du nouveau mariage vivent avec leurs demi-frères ou demi-sœurs nés du premier mariage de leur père ou de leur mère.

2. On parle de famille recomposée quand les enfants d'un couple divorcé vivent six mois dans l'année avec leur père et six mois avec leur mère.

■ **Test 3**　Vrai ou faux?

`/4`

Dans la famille :

	Vrai	Faux
1. Le partage des décisions est devenue plus égalitaire.	❑	❑
2. Le partage des travaux domestiques reste inégal entre homme et femme.	❑	❑
3. En 1999, les femmes actives (celles qui travaillent) passaient 3 h 48 par jour à s'occuper de la maison, les hommes actifs 1 h 59.	❑	❑
4. Les familles monoparentales sont les familles qui ont le moins de difficultés financières.	❑	❑

■ **Test 4**　Répondez.

`/4`

À votre avis, quelles sont les deux tâches domestiques que les hommes, en France, font :

1. le plus volontiers ? _____

2. le moins volontiers ? _____

Total:

`/20`

■ **Test 1**   Cochez les bonnes réponses.

/6

L'État français a mis en place une *politique familiale*. Cela signifie :

1. aider l'organisation de la vie des parents qui travaillent.   ❑

2. contrôler le taux de natalité.   ❑

3. donner des aides financières aux familles.   ❑

4. reconnaître l'égalité des enfants nés hors mariage.   ❑

5. encourager les jeunes à se marier.   ❑

■ **Test 2**   Répondez.

/5

Toutes les familles d'au moins deux enfants reçoivent des aides financières qui sont appelées *allocations familiales*. Qu'entend-on alors par *allocation logement*?

_____

_____

■ **Test 3**   Vrai ou faux ?

/5

	Vrai	Faux
1. Quand un enfant naît, la mère doit s'arrêter de travailler pendant trois ans.	❑	❑
2. Les allocations familiales sont versées jusqu'aux vingt ans de l'enfant.	❑	❑
3. Quand on a des enfants, on paie moins d'impôts.	❑	❑
4. Plus on a d'enfants, plus on paie d'impôts.	❑	❑
5. À chaque rentrée scolaire, les parents ont droit à une allocation de rentrée scolaire.	❑	❑

■ **Test 4**   Complétez avec « quinze », « congé », « naissance », « dix », « salaire », « troisième », « six », « accouchement ».

/4

Le _____ de maternité permet à la femme de s'arrêter de travailler en

conservant son _____ . Ce congé commence _____ semaines avant

l'_____ et se termine _____ semaines après. Il est un peu plus long s'il

s'agit d'un _____ enfant. Depuis 2002, les pères aussi bénéficient d'un congé de

jours lors de la _____ d'un enfant.

Total:

/20

■ **Test 1** Vrai ou faux ?   Vrai   Faux

/4

1. L'enseignement en France comporte trois degrés.   ❑   ❑

2. Le mercredi, à l'école primaire, on ne va généralement pas à l'école.   ❑   ❑

3. Toutes les six semaines les élèves ont quinze jours de vacances.   ❑   ❑

4. L'école en France commence au mois de janvier et se termine au mois d'août. ❑   ❑

■ **Test 2** Les trois principes fondamentaux de l'école en France sont : l'*obligation scolaire*, la *laïcité*
et la *gratuité*. Pouvez-vous les définir ?

/6

_____

_____

_____

■ **Test 3** Soulignez la bonne réponse.

/1 **Les écoles privées sont :**

1. des établissements payants.

2. des établissements où les enseignants sont bénévoles.

3. des établissements qui ne sont jamais reconnus par l'État.

4. des établissements où les enseignants sont toujours des religieux.

■ **Test 4** Complétez avec « élevés », « université », « droits », « bourses », « supérieur »,
« européens ».

/3

Dans l'enseignement _____, les étudiants paient les _____ d'inscription

qui sont peu _____ par rapport à d'autres pays _____ . Le système

des _____ d'études permet à certains étudiants, peu favorisés, de s'inscrire

à l'_____ .

■ **Test 5** Avec tous les éléments dont vous disposez à présent, remplissez le tableau ci-dessous :

/6

degrés d'études	gratuité	école obligatoire	droits d'inscription	laïcité
école primaire				
école secondaire				
enseignement supérieur				

Total:

/20

■ **Test 1**   **Répondez.**

/4   À votre avis, de quel âge à quel âge les enfants vont à l'école primaire ? Et à l'école secondaire ?

_____

_____

■ **Test 2**   **En complétant les mots ci-dessous, retrouvez les quatre types d'école correspondant aux deux premiers degrés de l'enseignement en France.**

/4

1. M _ _ _ R _ _ L _ E   **3.** C _ L L _ G _

2. P _ I M _ _ R _   **4.** _ Y _ _ E

■ **Test 3**   **Trouvez la définition des mots suivants.**

/3

1. La crèche est _____

2. L'école maternelle est _____

3. L'école primaire est _____

■ **Test 4**   **Complétez la grille avec les indications ci-dessous et vous trouverez le nom du diplôme que l'on obtient à la fin du collège : _____.**

/6

1. On la boit fraîche.

2. La parole est d'argent et le silence est d' .....

3. Elles permettent d'élire le président.

4. Voir une seconde fois.

5. On l'achète pour voir un film.

6. Après le décollage, il y a l' ...

■ **Test 5**   **Soulignez la bonne réponse.**

/3   **Le baccalauréat est suffisant pour :**

1. s'inscrire à l'université.

2. commencer à travailler comme cadre.

3. être stagiaire dans une entreprise.

Total:
/20

4. s'inscrire dans une grande école.

■ Test 1 Vrai ou faux ?

		Vrai	Faux

/5

1. L'université en France est privée. ❑ ❑

2. Les études supérieures durent de deux à huit ans. ❑ ❑

3. La maîtrise est un diplôme qui clôt la quatrième année d'université. ❑ ❑

4. Les grandes écoles sont moins prestigieuses que l'université. ❑ ❑

5. Pour entrer aux grandes écoles, il faut réussir un concours. ❑ ❑

■ Test 2 Répondez.

/4

Le BTS (brevet de technicien supérieur), cycle d'études courtes, est un diplôme dit à *finalité professionnelle*. À votre avis, qu'est-ce que cela signifie ?

_____

_____

■ Test 3 Éliminez l'intrus.

/2

1. grandes écoles / concours / bac

2. université / chercheurs / classes préparatoires

3. licence / maîtrise / brevet

4. DESS / doctorat / DEUG

■ Test 4 Complétez avec « cadres, » « travail », « étudiant », « concours », « études ».

/5

Quand un _____ réussit son _____ dans une grande école, à la fin de ses _____, il trouve très facilement du _____. C'est dans les grandes écoles qu'on forme les _____ supérieurs les plus recherchés.

■ Test 5 Voilà la liste des diplômes universitaires français.

/4

Connaissez-vous la signification de leurs sigles ?

1. DEUG : _____

2. DEA : _____

3. DESS : _____

4. DUT : _____

Total:

/20

■ Test 1   Associez les éléments de droite aux éléments de gauche.

/3   L'économie considère trois secteurs :

1. industrie   **a.** secteur primaire

2. agriculture   **b.** secteur tertiaire

3. services   **c.** secteur secondaire

■ Test 2   Soulignez la bonne réponse.

/3   **En France la population active représente environ :**

1. 40 % de la population nationale.

2. 60 % de la population nationale.

3. 70 % de la population nationale.

■ Test 3   Vrai ou faux ?   Vrai   Faux

/3   En France, 70 % de la population active travaille dans le secteur tertiaire.   ❑   ❑

■ Test 4   Soulignez la bonne réponse.

/4   **On appelle souvent les années 1945-1975 les *Trente Glorieuses*. Pourquoi ?**

1. Parce que ce sont trente années de gloire militaire.

2. Parce que ce sont trente années d'expansion économique.

3. Parce que ce sont les trente années les plus brillantes du cinéma français.

4. Parce que ce sont trente années de colonisation de nouveaux territoires.

■ Test 5   **Complétez avec « choix », « partiel », « travail », « faible », « 30 % », « moitié », « 5 % ».**

/7   Les femmes sont massivement entrées dans le monde du _____ . Elles

représente environ la _____ de la population active. La France est le pays

d'Europe où la différence entre l'activité féminine et l'activité masculine est la plus

_____ . Le travail à temps _____ , qui correspond rarement

à un _____ , n'est pas très développé. _____ des femmes

et _____ des hommes travaillent à temps partiel.

Total:

/20

■ **Test 1** **Répondez.**

`/5`

Les Français aiment les sigles. Savez-vous ce que veulent dire certains de ces sigles ?

1. CDD _____

2. CDI _____

3. ANPE _____

4. PME _____

5. PMI _____

■ **Test 2** **Soulignez la bonne réponse.**

`/4`

En 1998, la loi « d'aménagement de la réduction du temps de travail » (qu'on appelle la RTT) a réduit la durée légale du travail hebdomadaire. Cette durée légale est passée :

1. de 45 à 42 heures.   **4.** de 39 à 35 heures.

2. de 42 à 40 heures.   **5.** de 39 à 32 heures.

3. de 40 à 39 heures.

■ **Test 3** **Répondez.**

`/5`

Cette loi suscite des polémiques. Pourquoi ?

_____

_____

_____

■ **Test 4** **Soulignez la bonne réponse.**

`/3`

Le SMIC (salaire minimum interprofessionnel de croissance), qui concerne la plupart des professions, s'élève en 2003 à :

1. 5 euros de l'heure.   **3.** 10 euros de l'heure.

2. 7 euros de l'heure.   **4.** 13 euros de l'heure.

■ **Test 5** **Soulignez la bonne réponse.**

`/3`

En France, les salariés ont droit à des congés payés depuis :

1. 1900.   **4.** 1945.

2. 1918.   **5.** 1968.

Total: **3.** 1936.

`/20`

■ **Test 1** Répondez.

/2

À votre avis, est-ce que les *nouveaux métiers* sont tous liés à l'arrivée de l'informatique ?

_____

_____

■ **Test 2** Complétez avec « livraison », « services », « domicile », « technologies », « besoins », « métiers », « garde ».

/7

Les nouveaux _____ qui apparaissent ne sont pas tous liés aux nouvelles

_____ . Certains métiers de _____ se développent en raison

des _____ nouveaux de la population : aide aux personnes âgées

à _____, _____ d'enfants, _____ à domicile, etc.

■ **Test 3** Complétez la grille à l'aide des indications et vous trouverez le nom d'un nouveau mode

/11

de travail qui s'est beaucoup développé ces dernières années en France : _____

1. Exercer un métier.

2. Synonyme d'entreprise.

3. Personne employée
   par une société.

4. Synonyme
   de profession.

5. Il plaide au tribunal.

6. Document signé
   à l'embauche.

7. Établissement
   où on dépose de l'argent.

8. Le secteur tertiaire,
   c'est le secteur des...

9. Endroit où on va acheter des produits de consommation.

10. Le secteur secondaire, c'est le secteur de l'...

11. Celui qui fait le pain.

Total:

/20

■ Test 1 Trouvez la définition des mots suivants.

/3

1. Le médecin de famille est _____

2. Le médecin généraliste est _____

3. Le médecin spécialiste est _____

■ Test 2 Soulignez la bonne réponse.

/2

La Sécurité sociale rembourse :

1. les frais médicaux des citoyens.

2. les équipement médicaux des médecins spécialistes.

3. l'État.

■ Test 3 Répondez.

/3

À chaque consultation, le médecin remet au patient une feuille maladie. À votre avis, à quoi sert-elle ?

_____

_____

■ Test 4 Complétez avec « santé », « soignent », « gros », « consommation », « dépense », « médicaments », « personne ».

/7

Par rapport à d'autres pays d'Europe, les Français se _____ avec attention : en 2000, la _____ totale de _____ s'élève à 2 100 euros par _____.

Cependant, on parle souvent de l'excessive _____ de médicaments des Français ; en effet, ils sont les plus _____ consommateurs de _____ d'Europe.

■ Test 5 Associez les éléments de droite aux éléments de gauche.

/5

1. médecin   **a.** sociale

2. carte   **b.** maladie

3. Sécurité   **c.** vitale

4. frais   **d.** généraliste

5. feuille   **e.** médicaux

Total:

/20

■ Test 1 Répondez.

/3 **Dans quels établissements les Français peuvent-ils choisir de se faire soigner ?**

_____

_____

■ Test 2 **Complétez avec « prévention », « santé », « défavorisées », « économiques », « soins »,**
« gouvernement », « manque », « maladie ».

/4

Par rapport à d'autres pays d'Europe, le système de _____ en France est bien

organisé. Malgré le système de _____, un nombre important de Français ne se

faisait pas soigner, principalement par _____ de moyens _____ .

En 2000, le _____ a donc voté une loi qui a permis la couverture _____

universelle (CMU). La CMU prévoit des _____ gratuits pour les personnes

les plus _____ .

■ Test 3 Répondez.

/5 **À votre avis, qu'est-ce qu'on entend par _médecine scolaire_ ?**

_____

_____

■ Test 4 **Parmi les termes cités, cochez ceux que vous associez aux _médecines alternatives_.**

/3 **1.** acupuncture ❑   **4.** gastroentérologie ❑

2. ophtalmologie ❑   **5.** rhumatologie ❑

3. homéopathie ❑   **6.** phytothérapie ❑

■ Test 5 Vrai ou faux ?   Vrai   Faux

/5 **1.** Les médicaments génériques sont moins efficaces.   ❑   ❑

2. Les médicaments génériques sont moins chers.   ❑   ❑

3. Les médicaments génériques sont vendus dans les hypermarchés. ❑   ❑

4. Les médicaments génériques sont généralement utilisés
pour l'automédication.   ❑   ❑

5. Les médicaments génériques sont prescrits par les médecins.   ❑   ❑

Total:

/20

■ Test 1 **Répondez.**

/2   **Quelle est la religion traditionnelle de la France ?**

_____

_____

■ Test 2 **Cochez la ou les bonnes réponses.**

/4   **La France a voté en 1905 le principe de la _laïcité_. Cela signifie que :**

1. la France est un pays athée. ❑

2. la France est tolérante en matière de religion. ❑

3. en France, l'Église et l'État sont séparés. ❑

4. depuis 1905, on ne construit plus d'établissements religieux. ❑

■ Test 3 **Répondez.**

/4   **Quelles sont, en 2003, les religions les plus pratiquées en France ?**

_____

_____

■ Test 4 **Complétez avec « 5 % », « 10 % », « athées », « catholiques », « 69 % », « religion », « 20 % ».**

/7

En 2001, _____ des Français se déclarent _____, mais _____

seulement vont à la messe régulièrement (au moins une fois par mois). Le nombre

de Français qui se déclarent sans _____ s'accroît d'année en année. De tous

les pays d'Europe, c'est en France qu'on trouve le plus d'_____ convaincus.

Plus de _____ de la population se déclare sans religion, seuls _____

des Américains se déclarent athées.

■ Test 5 **Éliminez l'intrus.**

/3   **1.** Chartres / Saint-Jacques-de-Compostelle / Fatima / Nice / Lourdes

2. église / temple / synagogue / musée / mosquée

3. citoyen / croyant / athée / pratiquant / laïque

Total:

/20

■ **Test 1**   **Répondez.**

/6   **Parmi les événements suivants, cochez ceux qui sont généralement l'occasion d'une cérémonie.**

1. la naissance   ❑   **6.** le divorce   ❑

2. l'adoption d'un enfant   ❑   **7.** l'anniversaire   ❑

3. l'entrée à l'école primaire   ❑   **8.** le décès   ❑

4. l'âge de la majorité légale (18 ans) ❑   **9.** la Toussaint   ❑

5. le mariage   ❑

■ **Test 2**   **Parmi ces quatre annonces parues dans des journaux, laquelle annonce :**

/8   **1.** une naissance. _____

2. une adoption d'enfant. _____

3. un enterrement. _____

4. une incinération. _____

> **a.**
> Bienvenue à Mathilde
> qui est arrivée
> le 29 novembre 2003
> à Lyon
> chez Clara et Guillaume Simon

> **b.**
> Ulysse,
> né le 28 novembre 2003,
> était attendu avec impatience par ses parents
> Julie Brézans et Sébastien Luchot.
> Sa sœur Léa est ravie.

> **c.**
> Chambourcy. Le Pradet
> Madame Sylvie Loiseau, son épouse,
> Marc, Adrien, Romain, Claire, ses enfants,
> ses belles-filles et son gendre, ses dix petits-enfants,
> sa famille et ses amis
> ont la tristesse de faire part du décès de
> M. Paul-Henri Séjournet
> ingénieur à l'E.D.F.
> Les obsèques religieuses auront lieu
> le lundi 3 novembre 2003, à 10 h
> en l'église Saint-Raymond du Pradet,
> suivies de la crémation
> au crématorium de Cuers ; ni fleurs ni couronnes.
> 8 allée de la résidence de la Bretonnière
> 78240 Chambourcy

> **d.**
> Sa famille et ses amis
> ont la douleur de faire part du décès de
> Madame Bertrand Mercier,
> née Isabelle Froment,
> survenu le 2 novembre 2003.
> L'inhumation aura lieu au cimetière
> du Montparnasse,
> le mercredi 5 novembre à 14 h.

■ **Test 3**   **Soulignez la bonne réponse.**

/6   **À la Toussaint que met-on généralement sur les tombes ?**

1. du muguet   **3.** des chrysanthèmes

2. des pommes   **4.** du lilas

Total:
/20

■ Test 1

/3

Soulignez la bonne réponse.

Aujourd'hui, en France, quelle est la proportion des habitants en zone urbaine :

1. 40 %.

2. 50 %.

3. 80 %.

4. 92 %.

■ Test 2

/3

Répondez.

Pouvez-vous citer les trois plus grandes villes de France ?

_____

_____

■ Test 3

/3

Soulignez la bonne réponse.

Qu'appelle-t-on *la province* ?

1. C'est l'autre nom de la Provence.

2. L'ensemble de la France sauf Paris.

3. La Touraine.

4. L'ensemble des départements ruraux.

■ Test 4

/8

Complétez avec « habitants », « culturelles », « Europe », « diminué », « TGV », « emplois », « formation », « années ».

L'écart entre la capitale, Paris, et les autres villes a _____ parce que les autres villes ont beaucoup changé ces dernières _____ . Elles offrent maintenant plus d'_____ tertiaires, plus de possibilités _____ , de _____ et de loisirs. Grâce au _____ , elles sont reliées entre elles et à Paris, mais aussi à l'_____ entière. Certaines villes attirent de nouveaux _____ grâce à une meilleure qualité de vie.

■ Test 5

/3

Vrai ou faux ?

Une *ville nouvelle* est une ville qui a rénové ses quartiers anciens.

Vrai ❑ Faux ❑

Total:

/20

■ **Test 1**   Trouvez la définitions des mots suivants.

/6

1. Les citadins sont _____ .

2. L'environnement est _____ .

3. La périphérie de la ville est _____ .

■ **Test 2**   Complétez avec « quartiers », « économique », « domicile », « villes », « pauvreté »,
« dynamisme », « touristes », « active ».

/4

En France, les grandes _____ présentent des contrastes marqués. La beauté

des _____ historiques et le _____ culturel attirent les _____,

le dynamisme _____ attire la population _____ (française ou immigrés).

Mais, dans les grandes villes, la _____ est aussi visible. Ainsi, on estime

qu'aujourd'hui environ 90 000 personnes sont sans _____ fixe (SDF).

■ **Test 3**   Cochez les bonnes réponses.

/5

**Parmi les critères qui améliorent le cadre de vie, lesquels sont jugés prioritaires
par les Français ?**

1. les transports en commun   ❑

2. le nombre d'hypermarchés   ❑

3. l'environnement   ❑

4. le nombre d'établissements scolaires   ❑

5. le nombre d'hôtels   ❑

6. la sécurité   ❑

7. les loisirs   ❑

■ **Test 4**   Associez les éléments de gauche aux éléments de droite.

/5

1. dynamisme   **a.** piétonnes

2. grands   **b.** individuelles

3. rues   **c.** ville

4. maisons   **d.** économique

5. centre   **e.** ensembles

Total:

/20

■ **Test 1**   Répondez.

/3

La campagne s'est aujourd'hui urbanisée. À votre avis, qu'est-ce que cela signifie ?

_____

_____

_____

■ **Test 2**   Éliminez l'intrus.

/2

1. ruraux / maires / campagne

2. agriculteurs / paysans / cadres

3. services / agriculture / élevage

4. agriculture biologique / OGM / nature

■ **Test 3**   Complétez avec « biologique », « ruraux », « jeunes », « ville », « éleveurs », « citadins », « repartis ».

/7

Dans les années soixante-dix, des _____, souvent _____, ont quitté la

_____ pour habiter la campagne. Ces nouveaux _____ sont devenus,

par exemple, _____ de chèvres ou de moutons. Après quelques années,

beaucoup sont _____ en ville, mais certains se sont bien adaptés et pratiquent

une agriculture _____ appréciée.

■ **Test 4**   Répondez.

/3

Pouvez-vous donner une définition du terme *rurbains* ?

_____

_____

_____

■ **Test 5**   Vrai ou faux ?

/5

	Vrai	Faux
1. Le nombre d'agriculteurs en France a augmenté ces dernières années.	❑	❑
2. Le travail des agriculteurs s'est mécanisé.	❑	❑
3. 10 % des Français possèdent une résidence secondaire.	❑	❑
4. Les ruraux sont toujours des agriculteurs.	❑	❑
5. La Communauté européenne aide les agriculteurs.	❑	❑

Total:

/20

■ **Test 1**   Répondez.

/4   Les loisirs ruraux traditionnels (pêche, chasse, cueillette de champignons et de fruits sauvages) sont-ils encore populaires en France ?

_____

_____

■ **Test 2**   Vrai ou faux ?   Vrai   Faux

/4   **1.** 75 % des Français ont un jardin.   ❏   ❏

2. En 2001, les Français ont dépensé en moyenne 230 euros
pour leur jardin.   ❏   ❏

3. La moitié des jardins mesurent moins de 250 m^2.   ❏   ❏

4. Près des villes, on trouve des jardins ouvriers.   ❏   ❏

■ **Test 3**   Complétez avec « 40 », « flore », « régionaux », « naturel », « urbanisme », « 7 », « faune », « nationaux ».

/8   Pour préserver de grands territoires qui possèdent un patrimoine _____,

on a créé _____ parcs _____ et _____ parcs _____.

Dans ces parcs qui protègent la _____ et la _____, l'_____

et le développement sont contrôlés.

■ **Test 4**   Soulignez la bonne réponse.

/4   **La pollution concerne l'ensemble du territoire. La France, comme d'autres pays, subit la « marée noire ». La *marée noire* c'est :**

1. la pollution des sols agricoles par les engrais chimiques.

2. la pollution des rivières par les eaux usées.

3. la pollution des côtes par le pétrole perdu en mer par les gros pétroliers.

Total:

/20

■ **Test 1** Soulignez la bonne réponse.

/3

Par rapport à l'ensemble de la population, le nombre officiel d'immigrés en France est d'environ :

1. 7 %. **3.** 17 %.

2. 10 %. **4.** 22 %.

■ **Test 2** Cochez les bonnes réponses.

/10

A. Après la Première Guerre mondiale, les immigrés en France sont venus essentiellement de :

1. Turquie. ❑ **6.** Portugal. ❑

2. Belgique. ❑ **7.** Italie. ❑

3. Espagne. ❑ **8.** Maghreb. ❑

4. Pologne. ❑ **9.** Afrique noire. ❑

5. Asie. ❑

B. Après la Seconde Guerre mondiale, les immigrés en France sont venus essentiellement de :

1. Belgique. ❑ **7.** Italie. ❑

2. Turquie. ❑ **8.** Maghreb. ❑

3. Espagne. ❑ **9.** Afrique noire. ❑

4. Pologne. ❑ **10.** Europe de l'Est. ❑

5. Asie. ❑ **11.** Norvège. ❑

6. Portugal. ❑

■ **Test 3** Complétez avec « groupes », « individus », « sol », « assimilation », « élevés », « droit », « République ».

/7

En France, l'État considère les _____, citoyens de la _____,

et non les _____ communautaires. Le modèle français d'intégration est celui

de l'_____ individuelle à la société. Les enfants d'immigrés nés et _____

en France sont français de _____. C'est le droit du _____

Total:

/20

■ **Test 1** **Répondez.**

/5 **Y a-t-il plusieurs langues officielles en France ?**

_____

■ **Test 2** **Cochez les bonnes réponses.**

/4 **Dans quels domaines la vie quotidienne des Français est-elle influencée par les habitudes des étrangers vivant en France ?**

1. La cuisine. ❑

2. L'éducation. ❑

3. La religion. ❑

4. La musique. ❑

5. La préférence pour une famille nombreuse. ❑

6. Les arts plastiques. ❑

7. La décoration. ❑

8. L'autorité accordée aux personnes âgées. ❑

■ **Test 3** **Cochez les bonnes réponses.**

/5 **Dans quels domaines la vie quotidienne des immigrés venus de cultures éloignées est-elle influencée par les habitudes des Français ?**

1. La cuisine. ❑

2. L'éducation. ❑

3. La religion. ❑

4. La préférence pour une famille moins nombreuse. ❑

5. Le travail des femmes. ❑

6. L'habillement. ❑

7. Le goût des animaux domestiques. ❑

■ **Test 4** **Vrai ou faux ?** Vrai Faux

/6 **1.** En France, on fête le Nouvel An chinois dans les grandes villes. ❑ ❑

2. En France, la carte d'identité mentionne la religion des citoyens. ❑ ❑

3. Le premier jour du Ramadan (jeûne musulman), les enfants ont un jour de congé scolaire. ❑ ❑

Total:

/20 **4.** La loi autorise les signes religieux à l'école publique. ❑ ❑

■ **Test 1**   **Répondez.**

/3

Pouvez-vous citer un événement historique important en France :

1. au XVIIIᵉ siècle ? _____

2. au XIXᵉ ? _____

3. au XXᵉ ? _____

■ **Test 2**   **Remplissez le tableau.**

/11

	roi ou empereur	président de la République	chef militaire	homme ou femme politique	écrivain
Jeanne d'Arc					
Robespierre					
Louis XIV					
De Gaulle					
Henri IV					
Louise Michel					
Charlemagne					
Jules Ferry					
Napoléon					
Mitterrand					
Molière					

■ **Test 3**   **Associez une trace architecturale et une époque (ou événement) historique.**

/6

1. le pont du Gard   **a.** La IIIᵉ République

2. le château de Versailles   **b.** le règne de Napoléon Iᵉʳ

3. l'Arc de triomphe   **c.** l'écrasement de la Commune de Paris

4. le Sacré-Cœur   **d.** la conquête romaine

5. la tour Eiffel   **e.** le XXᵉ siècle

6. la pyramide du Louvre   **f.** le règne de Louis XIV

Total:
/20

Test 1 Vrai ou faux ?   Vrai   Faux

/5

1. Le français remplace le latin dans les actes officiels
à partir du XVIᵉ siècle. ❑ ❑

2. Jules Ferry rend l'enseignement primaire gratuit,
laïc et obligatoire au XIXᵉ siècle. ❑ ❑

3. Le droit de vote est accordé aux femmes en 1900. ❑ ❑

4. La Constitution actuelle date de 1981. ❑ ❑

5. La peine de mort est supprimée en France depuis 1968. ❑ ❑

Test 2 Cochez les bonnes réponses.

/6

Au cours de la Première Guerre mondiale (1914-1918), la France est alliée avec :

1. l'Angleterre. ❑   **3.** la Russie ❑

2. l'Allemagne. ❑   **4.** l'Autriche ❑

Test 3 Soulignez la bonne réponse.

/4

Au cours de la Seconde Guerre mondiale (1939-1945), La France est alliée avec :

1. l'Allemagne.

2. l'Angleterre.

3. l'Italie

Test 4 Complétez avec « parti », « ministre », « Georges Pompidou », « dirige »,
« cohabitation », « Valéry Giscard d'Estaing », « présidents », « élu »,
« François Mitterrand », « Jacques Chirac ».

/5

Entre 1969 et 1981, il y a deux _____ appartenant à des partis politiques

de droite : _____ et _____ . En 1981, un président,

appartenant à un parti de gauche, _____, est _____. Il reste

président jusqu'en 1995. Depuis 1995, c'est un président de droite, _____, qui

_____ le pays. Pendant son premier mandat, entre 1995 et 2002, il gouverne

avec un Premier _____ de gauche : c'est ce qu'on appelle la _____.

Celle-ci prend fin en 2002. Depuis, le Président et le Premier ministre, chef du

gouvernement, appartiennent au même _____.

Total:

/20

CORRIGÉS

L'ESPACE FRANÇAIS

Chapitre 1

GÉNÉRALITÉS (1)

page 4
Test 1) On appelle la France l'Hexagone parce qu'elle a six côtés : trois maritimes et trois terrestres.
Avec ses six côtés, sa forme rappelle celle d'un hexagone.
Test 2) 3
Test 3) 1, 3, 4, 5, 6
Test 4) 1. mer Méditerranée – **2.** océan Atlantique – **3.** Manche
Test 5) maritimes, Manche, océan, Méditerranée

Chapitre 1

GÉNÉRALITÉS (2)

page 5
Test 1) 1. est – **2.** sud – **3.** ouest
Test 2) 1. b – **2.** d – **3.** a – **4.** e – **5.** c
Test 3) 1. Paris – **2.** Tours – **3.** Lyon – **4.** Toulouse – **5.** Strasbourg
Test 4) 1. forêts, lacs – **2.** plaines – **3.** vignes – **4.** olivier, cultures maraîchères

Chapitre 2

LES RÉGIONS FRANÇAISES

Picardie, Nord-Pas-de-Calais, page 6
Test 1) 2
Test 2) 1. F – **2.** F – **3.** V – **4.** F – **5.** V
Test 3) a
Test 4) 2, 5
Test 5) Grâce à la mise en service du TGV.

Champagne-Ardenne, Alsace, Lorraine (1), page 7
Test 1) 1. Reims – **2.** la cathédrale de Reims – **3.** le champagne – **4.** la viticulture
Test 2) culturelle, concordat, enseignement, Strasbourg, Metz
Test 3) 1, 3, 5, 6
Test 4) 1, 2
Test 5) Ce sont des marchés de plein air qui se tiennent pendant la période qui précède Noël. On y vend des objets qui servent à décorer le sapin de Noël et la maison, de la nourriture et des friandises particulières. On y boit aussi du vin chaud.

Champagne-Ardenne, Alsace, Lorraine (2), page 8
Test 1) 2
Test 2) 2
Test 3) 1, 4

Test 4) symboliste, Charleville-Mézières, Marseille, aventureuse, jeune, connus, ivre, séparation
Test 5) 2

Bourgogne, Franche-Comté (1), page 9
Test 1) à l'est
Test 2) 1
Test 3) 1. V – **2.** F – **3.** V – **4.** V – **5.** F
Test 4) 1, 3, 5
Test 5) 2

Bourgogne, Franche-Comté (2), page 10
Test 1) 1, 2, 4
Test 2) a, c, d
Test 3) 1. F – **2.** V – **3.** F – **4.** F – **5.** F – **6.** V
Test 4) 2
Test 5) la tour Eiffel

Haute et Basse-Normandie (1), page 11
Test 1) 3
Test 2) 1. côte – **2.** abbaye – **3.** camembert – **4.** Monet – Nom de la capitale régionale : CAEN
Test 3) 1, 5, 7
Test 4) 1. V – **2.** F – **3.** V – **4.** V

Haute et Basse-Normandie (2), page 12
Test 1) 1. V – **2.** F – **3.** F – **4.** F
Test 2) 1
Test 3) 2
Test 4) ports, Deauville, Étretat, débarquement
Test 5) 1. au Mont-Saint-Michel – **2.** à Rouen – **3.** à Honfleur – **4.** sur les côtes

Bretagne, page 13
Test 1) 3
Test 2) 1, 2, 3, 4, 5
Test 3) faux – La ville de Rennes n'est pas située au bord de la mer, mais à l'intérieur des terres.
Test 4) 1. Bretons – **2.** celte – **3.** îles – **4.** crêpes – **5.** services – **6.** marins
Test 5) réponse individuelle

Centre, Pays de la Loire (1), page 14
Test 1) 2, 3, 4
Test 2) 1. Centre – **2.** Pays de la Loire
Test 3) 1, 3, 4
Test 4) 4
Test 5) 1. V – **2.** V – **3.** F – **4.** V – **5.** F

Centre, Pays de la Loire (2), page 15
Test 1) 1
Test 2) a
Test 3) 1. Louis XIV – **2.** Cher – **3.** Seine – **4.** Bordeaux
Test 4) Tours, Paris, droit, avocat, succès, Grandet, Goriot
Test 5) 2

Île-de-France (1), page 16
Test 1) 3
Test 2) 1
Test 3) 1, 2, 4, 6, 7, 9, 10
Test 4) par exemple : Provins (77), Saint-Germain-en-Laye (78), Versailles (78), Fontainebleau (91), Saint-Denis (93), Chantilly (95)

Test 5) 1. c – **2.** a – **3.** a – **4.** b/e – **5.** b/e – **6.** b/d

Île-de-France (2), page 17
Test 1) 2
Test 2) 2
Test 3) décentralisation, première, régions, économie, pouvoirs, villes, intellectuelle, formation
Test 4) 1. V – **2.** F – **3.** F – **4.** F – **5.** V

Paris (1), page 18
Test 1) 1. f – **2.** b – **3.** a – **4.** c – **5.** d – **6.** e
Test 2) 1. V – **2.** F – **3.** V – **4.** F (c'est l'inverse) – **5.** V
Test 3) À cause de la disposition des vingt arrondissements parisiens.
Test 4) 1. F – **2.** V – **3.** F – **4.** F

Paris (2), page 19
Test 1) 4
Test 2) le métro(politain)
Test 3) bâtiments, Beaubourg, Bercy, Bibliothèque nationale de France, Défense, Bastille, pyramide, emplois, prix
Test 4) 1. F – **2.** F – **3.** F – **4.** V – **5.** V – **6.** V – **7.** F – **8.** V – **9.** V – **10.** F

Auvergne, Limousin, page 20
Test 1) 2
Test 2) 1. V – **2.** V – **3.** F – **4.** V – **5.** V – **6.** V
Test 3) sources, tourisme, thérapie, eaux, guérir
Test 4) 3
Test 5) 1. fourme d'Ambert – **2.** cantal

Rhône-Alpes, page 21
Test 1) Le nom de cette région renvoie à un fleuve (le Rhône) et aux montagnes (les Alpes).
Test 2) 1, 3, 4, 6, 8
Test 3) 1. V – **2.** F – **3.** V – **4.** F – **5.** V
Test 4) 1, 3, 5
Test 5) 2

PACA, Corse (1), page 22
Test 1) 2
Test 2) Outre un climat privilégié, la végétation et les odeurs d'une région méditerranéenne, on trouve dans cette région de nombreuses stations balnéaires sur la Côte d'Azur, de très belles villes historiques (Avignon, Aix-en-Provence, Arles) et des villages perchés, pleins de charme.
Test 3) 1. F – **2.** V – **3.** V – **4.** F
Test 4) 2
Test 5) 1, 4, 5

PACA, Corse (2), page 23
Test 1) Ses côtes sauvages et ses plages, ses montagnes, son climat.
Test 2) 4
Test 3) 1. marionnette – **2.** rivière – **3.** élèves – **4.** volcans – Nom du produit corse : MIEL
Test 4) incomparable, argentées, riche, salant, ancienne

Languedoc-Roussillon, page 24
Test 1) oïl
Test 2) 2

Test 3) 1. V – **2.** F – **3.** V – **4.** V
Test 4) 1. c – **2.** a – **3.** b – **4.** d
Test 5) 2

Poitou-Charentes, Aquitaine (1), page 25
Test 1) 1, 4, 6, 7
Test 2) 1. Poitou-Charentes – **2.** Aquitaine
Test 3) 1. V – **2.** F – **3.** V – **4.** F
Test 4) 1, 4
Test 5) 1, 3, 5

Poitou-Charentes, Aquitaine (2), page 26
Test 1) 2, 4, 5
Test 2) image, communication, technologique, scientifique, galaxies, voyages
Test 3) 2
Test 4) 1, 2, 4

Midi-Pyrénées, page 27
Test 1) 3
Test 2) 3
Test 3) À cause de la couleur de ses édifices qui sont en briques de couleur rose.
Test 4) 2
Test 5) 4

LES DOM (1), page 28
Test 1) Ce qui est situé au-delà de la mer.
Test 2) 1. TOM – **2.** DOM
Test 3) 1. F – **2.** V – **3.** F – **4.** V
Test 4) Pour des raisons historiques. Ces régions étaient d'anciennes colonies françaises au temps où la France était une puissance coloniale.
Test 5) 2

LES DOM (2), page 29
Test 1) V (Elles peuvent cependant être adaptées pour tenir compte des circonstances locales.)
Test 2) b, c, e
Test 3) Indien, esclaves, café, colons, immigration, métissée
Test 4) froid, pêche à la morue
Test 5) 2

LES DOM (3), page 30
Test 1) 1. a – **2.** b – **3.** d – **4.** c
Test 2) 1. Réunionnais – **2.** Martiniquais – **3.** Guadeloupéen
Test 3) 4
Test 4) 1. F – **2.** F – **3.** V – **4.** F

LA FRANCE DANS LE MONDE

Chapitre 1

LA FRANCE EN EUROPE (1)

page 31
Test 1) en 1995, l'Europe des quinze comptait l'Allemagne, la France, l'Italie, les trois pays du Benelux (la Belgique, les Pays-

Bas, le Luxembourg), la Grande-Bretagne, l'Irlande, le Danemark, la Grèce, l'Espagne, le Portugal, l'Autriche, la Suède et la Finlande. Progressivement, avec l'arrivée des pays d'Europe centrale (la Hongrie, la Pologne, la République tchèque, la Slovénie, etc.), 25 états devraient participer à l'Union européenne en 2005.
Test 2) Parce que La France, comme l'Allemagne, est à l'origine du projet européen.
Test 3) 1. F – **2.** V – **3.** F – **4.** V – **5.** F – **6.** F
Test 4) 1
Test 5) Le drapeau européen est un drapeau bleu qui présente, au centre, une couronne d'étoiles dorées, symbolisant les différents pays membres.

Chapitre 1

LA FRANCE EN EUROPE (2)

page 32
Test 1) 2
Test 2) 1. g – **2.** f – **3.** e – **4.** c – **5.** d – **6.** h – **7.** i – **8.** b – **9.** a
Test 3) 2
Test 4) Le programme Erasmus est un programme de mobilité des étudiants européens. Il concerne 30 pays européens et des pays associés et permet aux étudiants d'étudier et de passer des diplômes dans les différentes universités européennes.

Chapitre 2

LES ÉCHANGES POLITIQUES

page 33
Test 1) 2
Test 2) 1. F – **2.** V – **3.** V – **4.** F – **5.** F
Test 3) économiquement, développement, avancés, humanitaire, populations, urgence
Test 4) Parce que c'est en France (à Paris) qu'en 1789 a été rédigée la Déclaration des droits de l'homme et du citoyen.
Test 5) 1. solidarité – **2.** paix – **3.** démocratie – **4.** développement – **5.** indépendance

Chapitre 3

LES ÉCHANGES ÉCONOMIQUES

page 34
Test 1) 3
Test 2) 2, 3, 5, 7, 10
Test 3) 1, 3, 7
Test 4) agroalimentaire, diversifiée, groupes, secteur, exportation

Chapitre 4

LA FRANCOPHONIE (1)

page 35
Test 1) On parle de *langue maternelle* quand le français est la première langue parlée dans la famille. Dans ce cas, elle est généralement la première langue des parents. On parle de *langue officielle* quand le français est légalement la langue ou une des langues utilisées dans un pays et de *langue habituelle* quand le français est utilisé quotidiennement ou dans les relations informelles.
Test 2) Langue maternelle : la Belgique (en partie), la France, Monaco, le Québec, la Suisse.
Test 3) Langue officielle : le Sénégal, le Cameroun, etc.
Test 4) 50, 170, Afrique, Maghreb, océan, territoires
Test 5) Quelques exemples, parmi les plus connus : Tahar Ben Jelloun (Marocain), Nicolas Bouvier (Suisse), Aimé Césaire (Martiniquais), Nancy Huston (Canadienne), Milan Kundera (Tchèque), Léopold Sédar Senghor (Sénégalais).

Chapitre 4

LA FRANCOPHONIE (2)

page 36
Test 1) 1. e – **2.** b – **3.** f – **4.** a – **5.** h – **6.** d – **7.** i – **8.** j – **9.** g – **10.** c
Test 2) 1, 2, 5
Test 3) Afrique, francophone, traditionnelle, orale, griots, musiciens, conteurs, historiens

LA VIE AU QUOTIDIEN

Chapitre 1

LE CALENDRIER

page 37
Test 1) 1, 3, 4, 6, 8
Test 2) 2
Test 3) 1. V – **2.** F – **3.** F – **4.** V – **5.** F – **6.** V
Test 4) 1. Les fêtes d'origine religieuse remontent à la tradition judéo-chrétienne. – Les fêtes d'origine historique renvoient à des événements historiques (par exemple, la fête nationale française, le 14 juillet, renvoie à la prise de la Bastille, donc au début de la Révolution Française). – **2.** Les vacances d'hiver : ce sont les vacances que les élèves et les étudiants ont généralement au mois de février. – Les vacances de Noël : pour la fête de Noël, les établissements scolaires sont fermés pour 15 jours. – **3.** Les vacances de printemps sont les vacances que les élèves et les étudiants ont généralement au mois d'avril. – Les grandes vacances sont les vacances d'été.

Chapitre 2

UNE SEMAINE DE TRAVAIL (1)

page 38
Test 1) 2
Test 2)

métiers	la journée	la nuit	horaires réguliers	horaires irréguliers
cadre	X			X
enseignant	X		X	
employé	X		X	
ouvrier	X	X	X	
infirmière	X	X	X	
journaliste	X	X		X
boulanger	X	X		X
avocat	X			X

Test 3) Cette expression signifie que, quand on travaille beaucoup, on n'a pas le temps de faire autre chose. Ainsi, les journées sont toutes pareilles : on prend le métro pour aller travailler (métro), on reste toute la journée au bureau (boulot), on rentre chez soi et on dort (dodo).

Chapitre 2

UNE SEMAINE DE TRAVAIL (2)

page 39
Test 1) 3
Test 2) employée, lundi, vendredi, 8 heures, 14 heures, samedi, midi, gym, cinéma, restaurant, repas, bord
Test 3) réponse individuelle

Chapitre 3

UNE VIE D'ÉTUDIANT

Chapitre 4

LES REPAS (1)

page 41
Test 1)

page 40
Test 1) réponse individuelle
Test 2) 1. Loger dans un foyer signifie avoir une chambre dans une résidence collective pour étudiants. Dans les foyers, les services sont généralement communs. – 2. Vivre en colocation signifie partager un appartement avec d'autres personnes. – 3. Loger à la cité universitaire signifie avoir une chambre dans un établissement universitaire. – 4. Loger dans une chambre de bonne signifie avoir une petite chambre au dernier étage d'un immeuble. Les chambres de bonne n'ont généralement pas de services. Ceux-ci sont sur le palier.
Test 3) 1. randonnée – 2. hôtel – 3. médecin
Test 4) 1, 2, 4, 5

	oui	non	parfois
faire de grands repas de famille.	X		
inviter des amis autour d'un plat.	X		
manger dans les fast-food.			X
manger équilibré	X (en général)		
manger beaucoup de viande.		X	
manger davantage de poisson.	X		
chauffer des plats déjà préparés.			X

Test 2) 1. V – 2. F – 3. V – 4. F
Test 3) 3

Chapitre 4

LES REPAS (2)

page 42
Test 1) 1. a – **2.** a, b, c, d – **3.** b, d – **4.** b, d – **5.** c – **6.** b, d – **7.** a – **8.** a, b – **9.** a, b, c, d – **10.** a, b, c, d – **11.** b, d
Test 2) 1. café – **2.** dessert – **3.** boisson – **4.** cantine – **5.** poisson – **6.** sel – **7.** apéritif – **8.** dîner – **9.** table – Spécialité française : croissant
Test 3) 1. clafoutis – **2.** reine-claude – **3.** quiche – **4.** sole meunière

Chapitre 4

LES REPAS (3)

page 43
Test 1) 1
Test 2) 2
Test 3) 1. b – **2.** a – **3.** a – **4.** b – **5.** a – **6.** b
Test 4) C'est une habitude qui se développe dans les classes moyennes. Dès l'âge de la maternelle, les enfants invitent leurs amis chez eux pour fêter leur anniversaire. Des jeux, parfois un spectacle, accompagnent ce goûter exceptionnel.
Test 5) 1, 2, 4, 6, 8

Chapitre 5

LES COURSES (1)

page 44
Test 1)

	toujours	quelquefois	jamais
des meubles		X	
des vêtements		X	
des produits artisanaux		X	
des produits alimentaires	X		
des ordinateurs			X

Test 2) hypermarchés, périphérie, centres commerciaux, marchandes, achats

Test 3) Il s'agit de petits commerces au centre-ville qui vendent des produits de première nécessité, surtout alimentaires.
Test 4) 2, 3, 5, 8

Chapitre 5

LES COURSES (2)

page 45
Test 1)

commerces/services	7 heures	8 heures	9 heures	10 heures
commerces de proximité	X			
boucherie	X			
poste		X		
marché	X			
banque			X	
grands magasins				X
boulangerie	X			
crèches	X			

Test 2) 2
Test 3) Pour permettre à ceux qui travaillent avec des horaires particuliers de faire leurs courses en dehors des heures de travail.

Chapitre 6

LES TRANSPORTS (1)

page 46
Test 1)

moyens de transport	trajets en ville	trajets du centre-Ville à la banlieue	trajets d'une ville à l'autre
vélo	X		
métro	X		
train		X	X
RER		X	
TGV			X
autobus	X	X	
scooter	X	X	

Test 2) Pour diminuer les problèmes d'embouteillage et de pollution.

Test 3) cyclables, circulation, sportifs, rollers
Test 4) 1. vélo – 2. voiture – 3. autobus – 4. moto

Chapitre 6

LES TRANSPORTS (2)

page 47
Test 1) 1. SNCF : Société nationale des chemins de fer –
2. RER : réseau express régional – 3.TGV : train
à grande vitesse – 4. TER : train express régional –
5. RATP : Régie autonome des transports parisiens
Test 2) la voiture
Test 3) vitesse, avion, habitudes, nord, Dijon, connu
Test 4) La compagnie aérienne nationale est AIR FRANCE.
Test 5) 3, 8

Test 2) 3
Test 3) On célèbre la prise de la Bastille qui marque le début de la Révolution française.
Test 4) 1. F – 2. V – 3. F – 4. V – 5. V – 6. V

Chapitre 2

LES VACANCES

page 50
Test 1) 5, 4, 2, 1, 12
Test 2) 1. 3 – 2. 2 – 3. 4 – 4. 1
Test 3) 1. F – 2. V – 3. F – 4. V – 5. F
Test 4) 3
Test 5) Les catégories qui partent moins en vacances sont les chômeurs, les retraités et les habitants des zones rurales.

LE TEMPS LIBRE

Chapitre 1

QUELQUES FÊTES TRADITIONNELLES (1)

page 48
Test 1) par exemple : la Fête de la musique, le 14 juillet, etc.
Test 2) 1. c – 2. d – 3. b – 4. a
Test 3) 1. V – 2. V – 3. V – 4. F – 5. F
Test 4) gras, carnaval, déguise, défilés, capitale, carême
Test 5) 2, 4

Chapitre 3

LES LOISIRS (1)

page 51
Test 1) 1
Test 2) 1. V – 2. F – 3. V – 4. V
Test 3) 2
Test 4) 1. 127 minutes : la télévision – 2. 25 minutes : la lecture – 3. 20 minutes : la promenade et le tourisme – 4. 17 minutes : la conversation – 5. 16 minutes : les visites aux parents et connaissances – 6. 16 minutes : les jeux

Chapitre 1

QUELQUES FÊTES TRADITIONNELLES (2)

page 49
Test 1) 1, 2, 3, 5, 6, 8, 9, 10

Chapitre 3

LES LOISIRS (2)

page 52

Test 1) V. Certains sports collectifs (le football, le cyclisme, le rugby) sont très populaires parce qu'ils attirent beaucoup de spectateurs. Il y a cependant une différence entre les sports que les Français regardent pratiquer et les sports qu'ils pratiquent eux-mêmes. Un Français sur trois pratique un sport individuel (randonnée, gymnastique, natation, etc.), un Français sur quinze seulement pratique un sport collectif.

Test 2) 1. 2 – **2.** 3 – **3.** 1

Test 3) 1. V – **2.** F – **3.** F – **4.** F

Test 4) Le Tour de France cycliste réunit, tous les étés, pour une course difficile, des coureurs qui parcourent la France des plaines et des montagnes. Le parcours change tous les ans et de très nombreux spectateurs attendent, parfois pendant des heures, le passage des coureurs qu'ils viennent encourager.

Test 5) 1. V – **2.** F – **3.** F

Chapitre 3

LES LOISIRS (3)

page 53

Test 1) 1. 6 – **2.** 5 – **3.** 1 – **4.** 4 – **5.** 2 – **6.** 3

Test 2) 3

Test 3) réponse individuelle

Test 4) À Paris : le musée du Louvre (le plus fréquenté), le musée d'Orsay, le musée du Centre Pompidou, le musée Picasso, le musée Guimet, etc. Dans les régions : le musée de Villeneuve-d'Asq, dans le Nord, le carré d'art contemporain de Nîmes, le musée de Lyon, etc.

Test 5) 1. F – **2.** V – **3.** F – **4.** F

Chapitre 3

LES LOISIRS (4)

page 54

Test 1) 1. c – **2.** f – **3.** d – **4.** a – **5.** b – **6.** e

Test 2) 2

Test 3) diminue, illettrisme, valorisé, augmente, bibliothèques-médiathèques, emprunter, disques, bandes vidéo, bibliobus, livres, lecture

Test 4) 1. le festival d'Avignon – **2.** Madonna – **3.** Van Gogh – **4.** Kubrick – **5.** Baricco – **6.** le Prado

Chapitre 4

LES MÉDIAS (1)

page 55

Test 1) 3

Test 2) Les chaînes qui appartiennent au service public sont : France 2, France 3, Arte (chaîne franco-allemande). Les principales chaînes privées sont : TF1, M6, Canal+. On compte aussi 84 chaînes disponibles sur le câble ou le satellite.

Test 3) 2, 3 (sans avoir d'autres activités en même temps).

Test 4) 1. 2 – **2.** 5 – **3.** 3 – **4.** 1 – **5.** 6 – **6.** 4

Test 5) Jusqu'en 1982, la radio était un monopole d'état. Maintenant, il existe à la fois des radios qui appartiennent au service public (France-Inter, France-Culture, Radio-France-International, France-Info) et des radios privées. Certaines sont très écoutées (RTL, RMC, Europe 1), d'autres, associatives ou commerciales, ont moins d'auditeurs.

Chapitre 4

LES MÉDIAS (2)

page 56

Test 1) 1, 3, 4, 5, 8, 9

Test 2) 1. Les quotidiens régionaux sont généralement vendus dans une région déterminée. *Ouest-France* est cependant très diffusé en dehors de la région ouest. – **2.** Les quotidiens nationaux sont vendus dans l'ensemble du territoire.

Test 3) 1. environ 20% – **2.** environ 40%

Test 4) D'une part, ces journaux gratuits, payés par la publicité, sont accusés de faire perdre des lecteurs aux journaux payants. D'autre part, certains pensent qu'il ne s'agit pas de vrais journaux parce que ces journaux ne proposent aucun article d'analyse de l'actualité, mais seulement des articles très courts (des dépêches de presse).

Test 5)

magazines d'actualité	magazines thématiques	magazines destinés à un public précis
Le Nouvel Observateur	magazines concernant l'automobile (Auto/moto)	magazines pour les adolescents : Phosphore Salut
L'Express	magazines concernant le cinéma (les Cahiers du cinéma, Positif)	magazines concernant les seniors : Notre Temps
Paris-Match	magazines concernant la littérature : La quinzaine littéraire	
Le Monde Diplomatique	magazines concernant la santé : Top Santé	
Le Point		

Chapitre 5

LES AMIS, LES VOISINS

page 57
Test 1) relations sociales, travail, lieu, temps libre, âge, jeunesse, adulte, retraite, parents proches, voisins, commerçants
Test 2) En France, les grandes villes présentent souvent des quartiers différents les uns des autres. Souvent les habitants sont attachés à cet environnement immédiat où ils vivent et où ils connaissent d'autres gens. C'est là qu'ils ont leurs habitudes (le marché, les commerçants de proximité, le médecin, les installations sportives, les cinémas, les écoles, les jardins publics).
Test 3) 1. souvent – 2. quelquefois – 3. souvent – 4. quelquefois – 5. jamais – 6. jamais – 7. jamais – 8. quelquefois – 9. quelquefois ou jamais

Chapitre 6

LES ANIMAUX DE COMPAGNIE

page 58
Test 1) Les animaux de compagnie sont des animaux domestiques qui vivent dans la maison.
Test 2) 1
Test 3) 1, 3, 5
Test 4) 1. V – 2. F – 3. V – 4. V
Test 5) Les NAC sont un phénomène qui s'est développé ces dernières années. Ce sont des animaux exotiques et souvent sauvages comme des singes, des serpents, des bébés tigres, etc.

LA VIE EN SOCIÉTÉ

Chapitre 1

QUI GOUVERNE ? (1)

page 59
Test 1) À chaque fois que l'on modifie la Constitution, on change de République. Notre République actuelle (la 5e) commence en 1958.
Test 2) Le pouvoir exécutif, le pouvoir législatif et le pouvoir judiciaire.
Test 3) 1. V – 2. V – 3. F – 4. V – 5. V
Test 4) 3
Test 5) Président, chef, suffrage, quinquennat, Constitution, indépendance

Chapitre 1

QUI GOUVERNE ? (2)

page 60
Test 1) Cela signifie qu'il est constitué de deux chambres : le Sénat et l'Assemblée nationale.
Test 2) 1, 4
Test 3) séparément, modifier, ensemble, Bourbon, Luxembourg
Test 4) À cause de sa forme en demi-cercle.
Test 5) 1. adorer – 2. thé – 3. pain – 4. vouloir – 5. voiture – 6. métier – 7. président – Nom des représentants de l'Assemblée nationale : députés

Chapitre 1

QUI GOUVERNE ? (3)

page 61
Test 1) 4
Test 2) 1. sénateur – **2.** exploitation – **3.** palais Bourbon – **4.** gratuité
Test 3) 1. égaux – **2.** gratuite – **3.** ouvertes – **4.** indépendants
Test 4) Cela signifie que tant que les preuves de culpabilité ne sont pas apportées contre elle, une personne est déclarée innocente.
Test 5) 1. c – **2.** d – **3.** b – **4.** e – **5.** a

Chapitre 2

LA VIE CITOYENNE

page 62
Test 1) droite, gauche, présidentielles, UMP, UDF, FN, socialiste, adhérents, PS, Verts, communiste, LCR, LO
Test 2) 1. F – **2.** F – **3.** F – **4.** V
Test 3) 1
Test 4) 1. V – **2.** F – **3.** F – **4.** V – **5.** V – **6.** V

Chapitre 3

FAMILLES (1)

page 63
Test 1) V. C'est la définition de la famille au sens sociologique du terme.
Test 2) 1. c – **2.** a – **3.** b
Test 3) 1. V – **2.** V – **3.** F – **4.** V – **5.** F

Test 4)

	obligatoire	habituel	possible
célébrer le mariage à la mairie.	X		
faire un contrat de mariage.			X
faire une liste de mariage (liste des cadeaux possibles).		X	
faire une fête pour ses amis et sa famille.		X	
faire une cérémonie religieuse après le mariage civil.			X
passer une annonce dans un journal.			X

Chapitre 3

FAMILLES (2)

page 64
Test 1) C'est une famille où il n'y a qu'un seul parent : souvent la mère qui vit seule avec ses enfants.
Test 2) 1
Test 3) 1. V – **2.** V – **3.** V – **4.** F
Test 4) 1. les courses, le bricolage – **2.** le lavage du linge, le repassage

Chapitre 3

FAMILLES (3)

page 65
Test 1) 1, 3, 4
Test 2) Ce sont des aides financières pour aider au paiement du loyer.

Test 3) 1. F – **2.** V – **3.** V – **4.** F – **5.** V
Test 4) congé, salaire, six, accouchement, dix, troisième, quinze, naissance

Chapitre 4

L'ÉCOLE (1)

page 66
Test 1) 1. V – **2.** V – **3.** V – **4.** F
Test 2) L'obligation scolaire signifie que les enfants doivent être scolarisés jusqu'à l'âge de 16 ans. La laïcité signifie que l'Église est exclue de l'organisation de l'enseignement. La gratuité signifie que l'école obligatoire est gratuite.
Test 3) 1
Test 4) supérieur, droits, élevés, européens, bourses, université

Test 5)

degrés d'études	gratuité	école obligatoire	droits d'inscription	laïcité
école primaire	X	X		X
école secondaire	X	X (jusqu'à 16 ans)		X
enseignement supérieur			X	X

Chapitre 4

L'ÉCOLE (2)

page 67

Test 1) Les enfants vont à l'école primaire de 6 à 10 ans et à l'école secondaire de 11 à 18 ans.

Test 2) 1. maternelle – **2.** primaire – **3.** collège – **4.** lycée

Test 2) 1. La crèche est l'institution qui s'occupe des enfants avant 3 ans. – **2.** L'école maternelle est l'école pour les enfants de 3 à 5 ans. – **3.** L'école primaire est l'école pour les enfants de 6 à 10 ans : c'est ici que les enfants commencent à lire, à écrire, etc.

Test 4) 1. bière – **2.** or – **3.** élections – **4.** revoir – **5.** billet – **6.** atterrissage – Diplôme : brevet des collèges

Test 5) 1

Chapitre 4

L'ÉCOLE (3)

page 68

Test 1) 1. F – **2.** V – **3.** V – **4.** F – **5.** V

Test 2) Cela signifie que le BTS permet de chercher directement un emploi.

Test 3) 1. bac – **2.** classes préparatoires – **3.** brevet – DEUG

Test 4) étudiant, concours, études, travail, cadres

Test 5) DEUG : diplôme d'études universitaires générales – DEA : diplôme d'études approfondies – DESS : diplôme d'études supérieures spécialisées – DUT : diplôme universitaire de technologie

Chapitre 5

LE TRAVAIL (1)

page 69

Test 1) 1. c – **2.** a – **3.** b

Test 2) 1

Test 3) V

Test 4) 2

Test 5) travail, moitié, faible, partiel, choix, 30%, 5%

Chapitre 5

LE TRAVAIL (2)

page 70

Test 1) 1. CDD : contrat de travail à durée déterminée – **2.** CDI : contrat de travail à durée indéterminée – **3.** ANPE :

agence nationale pour l'emploi. C'est un organisme qui aide les chômeurs dans leur recherche d'emploi – **4.** PME : petites et moyennes entreprises (secteur tertiaire) – **5.** PMI : petites et moyennes industries (secteur secondaire). Ces petites structures sont nombreuses en France.

Test 2) 4

Test 3) D'une part, dans certains secteurs, la réduction du temps de travail a compliqué l'organisation du travail. D'autre part, il est difficile de dire combien d'emplois nouveaux cette loi a permis de créer. Les avis sont partagés. Certains considèrent cette loi comme une loi coûteuse pour l'économie, mais la plupart des salariés qui travaillent maintenant 35 heures hebdomadaires ne souhaitent pas recommencer à travailler davantage.

Test 4) 2

Test 5) 3

Chapitre 5

LE TRAVAIL (3)

page 71

Test 1) Non, ils sont aussi liés à l'apparition de nouveaux besoins dans la société.

Test 2) métiers, technologies, services, besoins, domicile, garde, livraison

Test 3) 1. travailler – **2.** société – **3.** salarié – **4.** métier – **5.** avocat – **6.** contrat – **7.** banque – **8.** services – **9.** magasin – **10.** industrie – **11.** boulanger – Nouveau mode de travail : Télétravail

Chapitre 6

LE SYSTÈME DE SANTÉ (1)

page 72

Test 1) 1. Le médecin de famille est le médecin qui suit une même famille depuis longtemps. – **2.** Le médecin généraliste est le médecin qui s'occupe de médecine générale. – **3.** Le médecin spécialiste est le médecin qui a une spécialisation dans une branche de la médecine (rhumatologue, pédiatre, etc.).

Test 2) 1

Test 3) La feuille maladie sert à se faire rembourser par la Sécurité sociale les frais de consultation et les médicaments.

Test 4) soignent, dépense, santé, personne, consommation, gros, médicaments

Test 5) 1. d – **2.** c – **3.** a – **4.** e – **5.** b

Chapitre 6

LE SYSTÈME DE SANTÉ (2)

page 73
Test 1) Dans les hôpitaux, dans les cliniques et dans les dispensaires.
Test 2) santé, prévention, manque, économiques, gouvernement, maladie, soins, défavorisées
Test 3) Cela signifie qu'à l'école on fait de la prévention. En général, chaque école est suivie par un médecin (qui vient de temps en temps) et une infirmière, pour traiter les problèmes de santé des élèves.
Test 4) 1, 3, 6
Test 5) 1. F – **2.** V – **3.** F – **4.** F – **5.** V

Chapitre 7

UN PAYS CROYANT ?

page 74
Test 1) la religion catholique
Test 2) 2, 3
Test 3) Le catholicisme, l'islam, le judaïsme et le protestantisme.
Test 4) 69 %, catholiques, 10 %, religion, athées, 20 %, 5 %
Test 5) 1. Nice – **2.** musée – **3.** citoyen

Chapitre 8

LES TEMPS DE LA VIE

page 75
Test 1) 5, 8
Test 2) 1. b – **2.** a – **3.** d – **4.** c
Test 3) 3

LES ÉVOLUTIONS RÉCENTES

Chapitre 1

LA FRANCE URBAINE (1)

page 76
Test 1) 3
Test 2) Paris, Lyon, Marseille.
Test 3) 2
Test 4) diminué, années, emplois, culturelles, formation, TGV, Europe, habitants
Test 5) F. Une ville nouvelle est une ville nouvellement construite, généralement à la périphérie des grandes villes.

Chapitre 1

LA FRANCE URBAINE (2)

page 77
Test 1) 1. Les citadins sont les habitants des villes. – **2.** L'environnement est le contexte (naturel et culturel) dans lequel l'individu vit. – **3.** La périphérie de la ville est l'ensemble de banlieues proches de la ville.
Test 2) villes, quartiers, dynamisme, touristes, économique, active, pauvreté, domicile
Test 3) 1, 3, 4, 6, 7
Test 4) 1. d – **2.** e – **3.** a – **4.** b – **5.** c

Chapitre 2

LA FRANCE RURALE (1)

page 78
Test 1) D'une part, le travail des agriculteurs a changé et par conséquent leur mode de vie. Ce mode de vie se rapproche de celui des citadins. D'autre part, certains ruraux ne sont pas des paysans et travaillent dans la ville la plus proche. Ils ont, eux aussi, un mode de vie proche de celui des citadins.
Test 2) 1. maires – **2.** cadres – **3.** services – **4.** OGM
Test 3) citadins, jeunes, ville, ruraux, éleveurs, repartis, biologique
Test 4) Les rurbains habitent la campagne, mais ils ne sont pas des paysans. Souvent, ils travaillent dans la ville la plus proche et ils sont artisans, ouvriers, employés ou cadres du secteur tertiaire.
Test 5) 1. F – **2.** V – **3.** V – **4.** F – **5.** V

Chapitre 2

LA FRANCE RURALE (2)

page 79
Test 1) Oui, les ruraux, mais aussi les citadins, pratiquent encore ces loisirs le week-end ou pendant les vacances.
Test 2) 1. F – **2.** V – **3.** V – **4.** V
Test 3) naturel, 7, nationaux, 40, régionaux, faune, flore, urbanisme
Test 4) 3

Chapitre 3

LA FRANCE MULTICULTURELLE (1)

page 80
Test 1) 1
Test 2) A. 2, 4, 7 – **B.** 2, 3, 5, 6, 8, 9, 10
Test 3) individus, République, groupes, assimilation, élevés, droit, sol

Chapitre 3

LA FRANCE MULTICULTURELLE (2)

page 81
Test 1) Non, le français est la seule langue officielle.
Test 2) 1, 4, 6, 7
Test 3) 1, 2, 4, 5, 6
Test 4) 1. V – **2.** F – **3.** F – **4.** F

Test 2)

	roi ou empereur	président de la République	chef militaire	homme ou femme politique	écrivain
Jeanne d'Arc			X		
Robespierre				X	
Louis XIV	X				
De Gaulle		X	X		
Henri IV	X				
Louise Michel				X	
Charlemagne	X				
Jules Ferry				X	
Napoléon	X		X		
Mitterrand		X			
Molière					X

Test 3) 1. d – **2.** f – **3.** b – **4.** c – **5.** a – **6.** e

TABLEAU HISTORIQUE (2)

page 83
Test 1) 1. V – **2.** V – **3.** F (en 1945) – **4.** F (de 1958) – **5.** F (en 1981)

TABLEAU HISTORIQUE (1)

page 82
Test 1) 1. Au XVIIIᵉ : par exemple, la prise de la Bastille le 14 juillet 1789, au début de la Révolution française. – **2.** Au XIXᵉ : par exemple, la Commune de Paris (révolte des Parisiens, mars-mai 1871). Au XXᵉ : par exemple, la Première Guerre mondiale (1914-1918) ou la Seconde (1939-1945).

Test 2) 1, 3
Test 3) 2
Test 4) présidents, Georges Pompidou, Valéry Giscard d'Estaing, François Mitterrand, élu, Jacques Chirac, dirige, ministre, cohabitation, parti

N° d'éditeur : 10139891 - CGI - Janvier 2007

Imprimé en France par EMD S.A.S. – 53110 Lassay-les-Châteaux – N° 16734